De Stijl
风格派

[英]保罗・欧维瑞　著

李博文　译

徐辛未　译校

浙江人民美术出版社 | **艺术世界**

On the cover: Vilmos Huszár, design for exhibition room, Berlin 1923 (detail). From L'Architecture Vivante, Autumn 1924

合同登记号
图字：11-2016-282号

图书在版编目（CIP）数据

风格派 /（英）保罗·欧维瑞著；李博文译. --
杭州：浙江人民美术出版社，2020.1
（艺术世界）
ISBN 978-7-5340-7292-5

Ⅰ. ①风… Ⅱ. ①保… ②李… Ⅲ. ①风格－艺术流派－研究 Ⅳ. ①J110.99

中国版本图书馆CIP数据核字（2019）第010606号

风格派

著　　者 [英]保罗·欧维瑞
译　　者 李博文
译　　校 徐辛未

责任编辑 李　芳
助理编辑 谢沈佳
责任校对 余雅汝
责任印制 陈柏荣
出版发行 浙江人民美术出版社
地　　址 杭州市体育场路347号（邮编：310006）
网　　址 http://mss.zjcb.com
经　　销 全国各地新华书店
制　　版 浙江新华图文制作有限公司
印　　刷 浙江海虹彩色印务有限公司
版　　次 2020年1月第1版
印　　次 2020年1月第1次印刷
开　　本 889mm × 1270mm　1/32
印　　张 7.75
字　　数 230千字
书　　号 ISBN 978-7-5340-7292-5
定　　价 65.00元

目 录

1

第一章 | 制造风格派

在梳理20世纪早期艺术、建筑及设计史时，风格派从来都被描述成是20世纪20年代最重要的“现代运动”之一。但风格派并不是一个同质的“群体”，或是如立体主义、未来主义、超现实主义一般的“主义”；也不是像包豪斯那样的艺术或设计学院，而是一个由荷兰画家、设计师、作家、宣传家提奥·凡·杜斯伯格[Theo van Doesburg]（1883—1931）组织并推广起来的活跃于1917年至1928年间的合作项目，或称一项事业。让这项事业得以持续发展的主要因素包括由凡·杜斯伯格负责编辑的《风格派》杂志，以及他个人作为风格派美学推广者和创业者所承担的责任与义务。

那些参与风格派项目的人们对彼此并不熟悉，也极少见面，甚至不在一起办展。他们并没有什么“风格派成员群像”之类的图片记录，而唯一一个将风格派视作某种正式艺术群体的展览，是在20世纪20年代中期于法国举办的。这个展览仅包括室内设计和建筑这两种艺术类型。然而，彼埃·蒙德里安[Piet Mondrian]（1872—1944）、魏默思·胡札[Vilmos Huszár]（1884—1960）、巴特·凡·德·列克[Bart van der Leck]（1876—1958）和凡·杜斯伯格数人互相了解彼此创作发展的状态，且有意识地在创作中进行概念以及风格的统一（图1、2）。有着类似倾向的还包括与早期风格派交往密切的建筑师J. J. P. 欧德[J. J. P. Oud]（1890—1963）、罗伯特·范特·霍夫[Robert Van't Hoff]（1887—1979）和杨·维斯[Jan Wils]（1891—1972）等。尽管他们各自独立

1. 彼埃·蒙德里安《彩色构图 B》，1917年。

进行艺术创作，但他们拥有同样的目标。这些建筑师们认为，当时盛行的建筑风格已经过时了，他们喜爱美国建筑师弗兰克·劳埃德·赖特[Frank Lloyd Wright]的作品，并相信建筑的社会属性。以上提到的人物再加上雕塑家、画家吉奥·万东格洛[Georges Vantongerloo]（1886—1965），家具设计师、建筑师格利特·里特维尔德[Gerrit Rietvel]（1888—1964）和建筑师、城市规划师康内利斯·凡·伊斯特

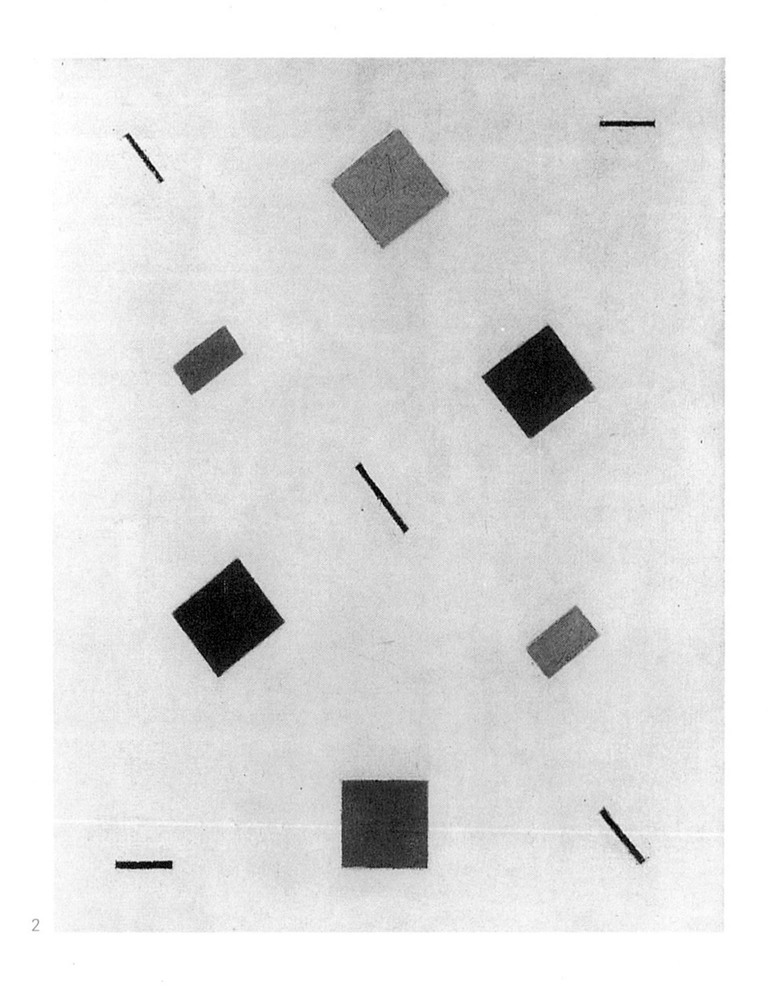

2

伦[Cornelis van Eesteren]（1897—1988），就是与风格派联系最为紧密的代表人物。

荷兰语“De Stijl”意为“特定的风格”——不仅仅是“风格”，而是“特定的风格”。“Stijl”同样也有“桩、柱子、支持”的意思，特别指的是在木工活或橱柜结构中的交叉连接点元素。“风格”对于凡·杜斯伯格以及其他风格派的合作者们来说，与表面装饰无关，而是一种重要的结构秩序。这种秩序可以被视作是一种社会伦理性视角的象征：风格派将单个元素视为分离，将元素的布局视为整体，意图以此象征个体与社会（或是普世价值）之间的关系。

对于此种元素的分离，或是将诸多元素以不寻常的方式重组为新的整体，是风格派形式语言中的重要组成部分。通过家具、雕塑、室内设计和建筑，这些元素被用来建造一个新世界的理想化“模型”，而风格派的绘画和平面设计也以同样的象征性方式使用平面元素。

虽然风格派运动与名为《风格派》的杂志并不能混为一谈，但风格派运动的开端的确与《风格派》杂志的创立一样，都始于1917年（图6）。这本杂志将风格派艺术家和建筑师聚到了一起，确立了风格派的美学及意识形态原则，并积极地推广这些原则。尽管人们很容易夸大这本先锋杂志的重要性（事实上，它的销量从未超过300份），但是它的影响力确实遍布全球。20世纪30年代，人们习惯将20世纪早期的先锋艺术运动称为“现代运动”或“现代主义”，而风格派在其中的地位则至关重要。

1917年到1921年之间（此时凡·杜斯伯格尚未在荷兰境外推行和传播风格派运动），风格派运动可以被视作是这样的一种国家主义尝试：在一战中被强敌环伺的中立国荷兰正在尝试建立一个新的、现代的

2. 巴特·凡·德·列克《构图》，1918年

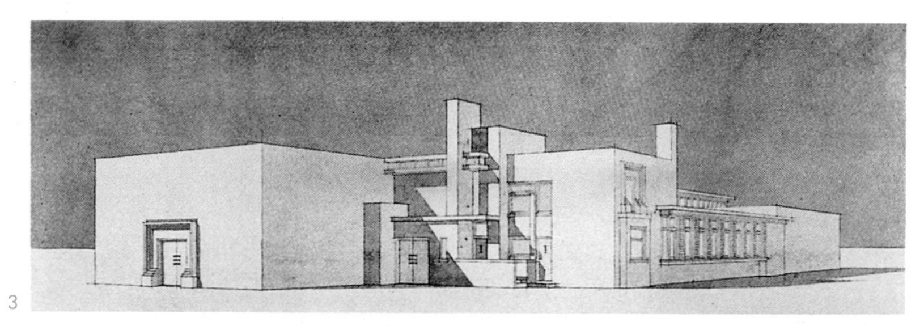
3

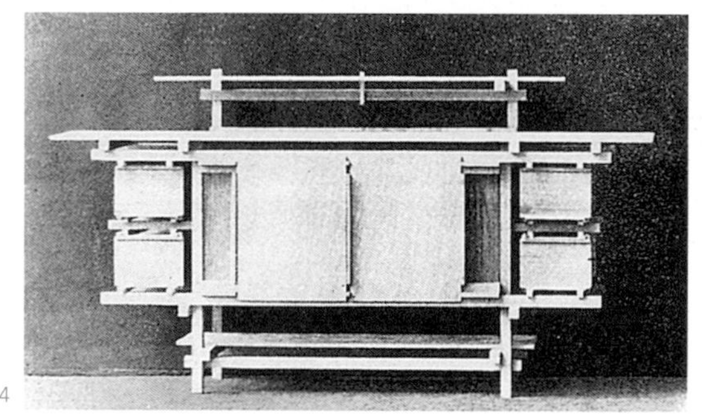
4

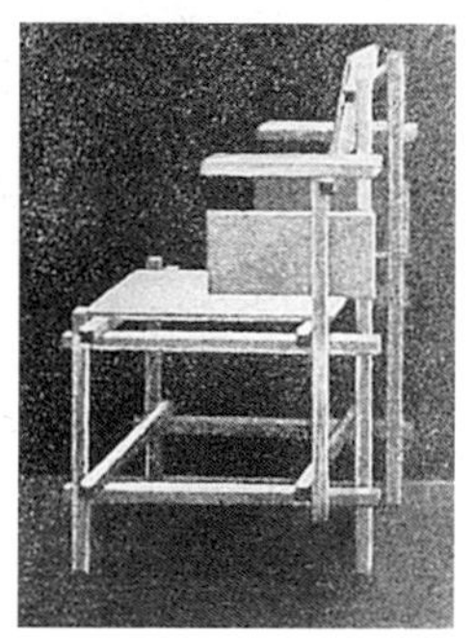

“国家”风格。与此同时，凡·杜斯伯格以及早期风格派的很多艺术家也在宣扬一种“新国际主义”精神。这种国家身份不是来源于传统文化的沙文主义式吹捧，而是来源于对战争的反抗，以及“荷兰特色”观念的建立。这个观念深深扎根于一种国际性视野，这种国际性视野在调和欧洲文化的过程中起到了重要作用。

风格派活动之所以得以在战时的荷兰开展，是因为很多当地活跃的艺术家和建筑师（多数为荷兰人，但也有他国艺术家及建筑师）都抱

3、4. J. J. P. 欧德，位于皮尔默伦德[Purmerend]的工厂，草图，约1919年；格利特·里特维尔德，柜台，约1919年；“高背”椅，约1919年。收录于1920年3月的《风格派》杂志（vol.3, no.5）。凡·杜斯伯格在注释中把这些作品与蒙德里安的油画（图1）以及万东格洛的雕塑（图46）进行对比。他写道：“这四件作品虽然彼此独立，但展现了一种相似而又独特的创作方法。”

有相同的想法和理想（或者说，被凡·杜斯伯格说服了，尽管他的游说效果并没有持续多久）。万东格洛曾是比利时难民；蒙德里安和范特·霍夫在1914年以前曾在巴黎和伦敦工作。如果不是因为战争，他们也不会来到荷兰。

在战乱中离开荷兰，或是与其他欧洲艺术家们取得联系，并不是一件容易的事情。因此，荷兰艺术家和知识分子们开始注重在本国发展，并重新评估他们自己的传统与文化。他们重新探索与定位自己的国家在现代欧洲的背景下所扮演的角色。凡·杜斯伯格完美地利用了这一点，把风格派组织起来并推广成“荷兰对于现代主义的贡献”。然而，尽管在很多方面风格派可以被看作是一个创业活动，但它不能被理解为仅仅是凡·杜斯伯格的个人奋斗成果，或者仅是几个零散艺术家互相影响的结果。风格派艺术作品也不应当仅被视作是那些艺术家声称的“集体意志”结果，或是“时代精神”（荷兰语“Tijdgeest”）。

从《风格派》杂志等处的文章、插图和对比研究中，呈现出的风格特征是：

·剥离建筑、家具、油画以及雕塑的传统形式，并将这些传统变成简单、“基本”的几何组成部分或“元素”。

·运用这些原本独立的元素构成一个形式整体，同时，独立元素的构成在作品中依然清晰可见。

·在构图与设计的过程中使用一个刻意的，甚至有时有些极端的不对称的构成。

·仅使用直角（水平线、垂直线或称“水平元素”或“垂直元素”）和“原色”（纯粹的红、黄和蓝），加上“中性”颜色或色调（白、灰和黑）。

然而在风格派的作品中，这些特征并不是永恒不变的。从风格派形成的第一年开始，这些“原则”就是在不断更新变化的。而这样的变化在风格派运动后期尤为频繁。因此，事实上，许多艺术家在参与“风格派”运动时创作了许多以斜线为构图基础的作品，采用了很多间色（例如绿、橙和紫），或者在形式上追求对称。

“直角原则”是否应该被斜线所取代，曾是蒙德里安与凡·杜斯伯格的主要分歧，这也是蒙德里安在20世纪20年代中期放弃风格派的直接原因。1925年前后，关于20世纪早期现代主义艺术及建筑发展的历史叙事开始讨论风格派的影响；凡·杜斯伯格企图在此时声称，早期风格派实践在风格与形式上的统一是要比实际情况更严格的。举例来说，他在早期风格派设计方案的黑白照片上加上原色（而这些设计原本是使用了间色的）（图67），在一本有影响力的法国杂志《建筑生活》[*Architecture Vivante*]上发表。他也声称风格派是始于1916年，而不是1917年。

《风格派》杂志早期最重要的功能之一便是对于“关键”作品的反复传播，由此来强调与认可类似风格的作品，也试图将这种共同的特征与杂志推行的理论关联起来。《风格派》不仅仅通过展示作品图片来制造一种风格上的统一；对于风格派的合作者们来说，杂志本身也是一个探讨创作与作品的论坛。他们通过这个论坛不断地、几近偏执地讨论彼此的创作（图3、4）。

然而，在20世纪20年代，随着国际主义风格更盛及凡·杜斯伯格作品与理论的倾向性发展，凡·杜斯伯格开始提倡新艺术的无风格化（style-less）。“消除风格”当然是不可能的，凡·杜斯伯格似乎是将20年代晚期至30年代早期出现的所谓国际风格建筑及类似绘画、雕塑作品中的抽象、几何形式（许多与风格派有联系的艺术家在进行这种类型的创作）视作是接近“无风格”风格理念的。

对于风格派的艺术家们而言，风格派本身从来不仅是一种由共同风格催生的产物。与艺术创作或建筑实践同等重要的，是相关理论及信念的建立。几乎所有这些风格派的艺术家和建筑师都密切参与创造及影响了关于艺术与设计的生产、消费以及两者与现代社会和社交生活之间的关系的新思潮。他们的想法可以主要归纳为以下几点：

·对于艺术、设计、建筑的社会属性的坚持与强调。

·相信普世价值与集体价值和特殊价值与个人价值间所存在的平衡。

·对于机械和新技术的革新力量的乌托邦式信念。

·坚信艺术与设计拥有改变未来的力量（同时改变个体的生活以及生活方式）。

这些理念与欧洲大陆的其他先锋派艺术家们对于艺术与设计的信念十分相似。这些相似的艺术潮流包括：大革命刚刚结束的几年间在苏联流传的艺术思潮，或是德国的包豪斯设计学院（见第九章）。然而，直接引导风格派理论发展的，则是20世纪早期荷兰社会及文化产出的特殊状况。

在20年代早期，凡·杜斯伯格与他最早的那一批风格派合作者们决裂，并在那之后尝试吸收更多欧洲艺术家和设计师（多数不是荷兰人）。一些人被称为风格派的“合作者”，例如年轻的荷兰画家西萨·多米拉[César Domela]（生于1900年）。他的风格与蒙德里安和凡·杜斯伯格十分相似。其他的国际合作者则包括俄罗斯艺术家、设计师艾尔·李思兹基[El Lissitzky]（1890—1941）和罗马尼亚雕塑家康斯坦丁·布朗库西[Constantin Brancusi]（1876—1957）。他们的作品被风格派所推崇，因为凡·杜斯伯格十分喜欢并尊重他们的作品和想法。其他与凡·杜斯伯格合作（且为他所尊重）的艺术家包括瑞士画家苏菲·陶伯-阿普[Sophie Taeuber-Arp]（1889—1943）——这些艺术家的作品虽然在很大程度上与风格派紧密相连，但是他们从没有被正式地称作是风格派的合作者。（唯一一位被凡·杜斯伯格称作风格派合作者的女艺术家是特卢斯·施罗德-施雷德夫人[Truus Schröder-Schräder]（1889—1985），她曾是里特维尔德的客户，并与他一同设计了施罗德住宅。）尽管这些艺术家和设计师的作品与风格派有着千丝万缕的联系，当我们在讨论风格派的时候，最主要的讨论对象仍集中于风格派发展初期所参与的九位艺术家和建筑师—— 也就是在风格派变为凡·杜斯伯格的个人玩物之前的那个阶段。

凡·杜斯伯格称那些为《风格派》杂志撰稿的人们为“medewerkers”。英文中最为相近的词语为“合作者”（collaborators）或是“撰稿人”（contributors）。在这一本书中，我会更多地称呼他们为“合作者”，而不是“风格派成员”。

而在这些艺术家和建筑师与风格派决裂之时，他们的作品和想法并不是马上就会产生重大改变。我们会在之后的章节详解他们的后期创作转变。

与几乎同时代的包豪斯相似，风格派尝试将绘画、雕塑、应用艺术、建筑和设计结合在一起。从《风格派》杂志创刊号开始，画家的绘画作品与文章就是与建筑师的作品一同出现的。风格派通过杂志中的插图和宣言来强调一种集体性风格和画家与建筑师的紧密合作。同时，风格派也在其他报纸以及文化刊物上对这样的合作进行大量报道。风格派的艺术家和建筑师对于集体性风格持有不同的见解，尤其是在如何能够实现这样的集体性创作，以及在合作创作中自由度掌握的问题上，他们有关彼此角色和自我形象的观念常常导致激烈的争论。他们在具体的合作及其中的角色分配上有所冲突，而这些不同的声音恰恰形成了风格派早期的不同分支。

在很多有关现代主义艺术的历史叙述中，风格派都被过度简化，因为非常少量的“关键”作品——绘画、物件、建筑设计等——不断传播。这些作品因而广为人知：里特维尔德的“红蓝”椅子及施罗德住宅（图93—96、98）、蒙德里安在20世纪20年代创作的不对称画（图34）、欧德[Oud]的乌涅咖啡馆[Café de Unie]建筑立面（图100）、

5

5. 格利特·里特维尔德，“红蓝”椅子未上色原型，约1918—1919年。后生产的“红蓝”椅子去掉了扶手下的垂直木条（图13），以让这椅子在视觉上更轻盈。

凡·杜斯伯格及凡·伊斯特伦[Van Eesteren]的彩色轴测法建筑草图（图104）等均因此而变得格外重要。这些作品的持续再版和再利用很容易产生一种对于风格派狭隘、一成不变的看法。

这些作品不能脱离其特殊的社会环境与背景来看待，也不应当被简单粗暴地看作是风格派的象征。事实上，这一系列中的很多作品是在其制造者参与风格派之前或之后创作的。举例来说，里特维尔德的“红蓝”椅子在最初是不上色的，形式上也与一般印象中有些许出入。里特维尔德在1918年创作了“红蓝”椅子，而他是在1919年才成为风格派一员的。直到四年之后，在1923年，这把椅子才有了人们熟悉的红、蓝、黄和黑色调。在1918年到1923年间，里特维尔德创作了一系列形态、尺寸各异，未上漆的、上色的、或是漆成黑色或白色的类似家具。“红蓝”椅子的设计不断变化，里特维尔德不断尝试，他常常修改或加入早些时候的一些想法。他从不认为作品——无论是家具设计还是建筑方案——应当是固定不变的。

20世纪80年代下半叶，有很多风格派艺术家和建筑师的知名作品被重新建构或修复。1986年，欧德的乌涅咖啡馆——这间咖啡馆于1925年建成，但是1940年在德国轰炸鹿特丹时被摧毁——在距其旧址几百米之外得以重建。在施罗德夫人去世之后，人们于1985年到1987年间，对比其1925年的状态修复了位于乌得勒支的施罗德住宅内部，并将其作为博物馆对公众开放。1989年，人们开始修复斯特拉斯堡黎明宫[Aubette]的两个主要展厅的内部结构。黎明宫内存有凡・杜斯伯格在1926年到1928年间创作的巨型抽象壁画（图144—145）。此处的作品是凡・杜斯伯格作为现代主义艺术家、设计师的最具代表性的作品，但在20世纪30年代被摧毁。这些早期现代主义作品的修复和重构工作再次肯定了这些艺术创作在现代主义运动中的重要地位。

人们从20世纪20年代开始建构现代主义艺术的历史叙事。在这一时期，艺术家和建筑师们的写作和口述通常与他们的作品同样重要。在这些艺术家和建筑师们去世之后，他们与风格派相关的遗产与档案得以流传下来，史学家和评论家开始把这些文献——特别是这些艺术家和建筑师们之间的通信——纳入有关风格派的讨论。与正式发表了的文章一样，这些在艺术家、建筑师、评论家、商人、策展人、藏家和艺术史学家之间流通的信件同样也体现了他们的自我形象。凡・杜斯伯格保留了所有他与风格派杂志撰稿人、合作者、支持者和反对者之间的信件。这些信件及其他许多手稿由他的妻子耐理・凡・杜斯伯格[Nelly Van Doesburg]很好地保存了下来。在现代主义时期，已故艺术家的妻子们通常扮演着丈夫名誉守护者和创造者的角色。耐理・凡・杜斯伯格和妮娜·康定斯基[Nina Kandinsky]、索尼娅·德劳内[Sonia Delaunay]三人都是现代主义兢兢业业的“伟大寡妇”[grandes veuves]。耐理于1975年去世，凡·杜斯伯格的档案则被她的侄女维丝·凡·莫瑟尔[Wies van Moorsel]（让·里林 [Jean Leering]的妻子）所继承。让·里林作为埃因霍温的凡·亚伯博物馆[Eindhoven , Stedelijk van Abbemuseum]馆长，曾组织了战后最为重要的凡·杜斯伯格个人回顾展。而后，维丝·凡·莫瑟尔把这些手稿和信件连同凡·杜斯伯格的画作一起捐赠给了位于海牙的荷兰艺术协会[Rijksdienst Beeldende Kunst]。

蒙德里安一生未婚。但他有一名来自美国的学徒——画家哈里·霍兹曼[Harry Holtzman]，后者于1940年邀请蒙德里安前来纽约。霍兹曼帮助蒙德里安在当地找到了一间工作室，并把他介绍给生活在纽约的艺术家、评论家和收藏家们。蒙德里安于1944年去世之后，霍兹曼通过摄影、影像和文字记载的方式详尽地记录了蒙德里安在纽约的工作室。自此之后，霍兹曼成为了蒙德里安的遗嘱执行人，穷其一生推广、记录、整理、翻译（与艺术史学家马丁·詹姆斯[Martin James]一起）蒙德里安的作品和手稿。

风格派成员及其他人写给蒙德里安的信没有被保留下来，因为他本人在阅读和回复信件之后会将来信销毁。然而，他认为自己写的信件一定是会被收信者保留起来的——事实也的确如此。他也并没有留下很多书籍，大部分书都被处理丢弃了，书籍作者们亲自送给蒙德里安的书籍也不例外。这些安排都是为了制造一个简朴、节制、极简主义的艺术家个人形象。只有经过蒙德里安“授权”的照片才可以流传，他也只允许经过精挑细选的圈内朋友、客户、策展人、评论家、记者和艺术家进入工作室，为他撰写介绍文字（图147）。在近来有关蒙德里安和风格派的著作中，蒙德里安的工作室是一个神话般的存在，而他自己也一直都在现代主义艺术历史记述中扮演着重要的角色，博物馆通常以“现代艺术大师”之一的名义收藏他的作品。像很多早期荷兰画家一样——伦勃朗、哈尔斯、维米尔、梵高等——人们时常将蒙德里安的油画从他所从属的时代和艺术潮流中独立出来，进行展览。

关于艺术、建筑和设计中后现代主义倾向的讨论，往往聚焦于对现代主义早期众多形式创新实践的批判性评估。这些早期实践随后被“国际风格”吸收、同质化，并在第二次世界大战后成为了高度一致的现代主义样式。我们之所以要重新讨论与思考风格派，不仅仅是因为它代表了一系列被无数次复制生产的现代主义标志性图像与符号，也是因为风格派本身仍然能够为今天的视觉形式创新发展提供肥沃的土壤。20世纪80年代是艺术、建筑以及设计历史的修正期，而后现代主义理论和实践带来的挑战以及新发现的风格派文献资料，重新为我们展现了风格派的精髓。

每一段有关艺术或文化运动的历史都无法避免在原始解读之上继续创造对于这段历史的新批注。然而每一段历史叙述也都是基于它本身所处的时代背景之上的。所谓“真实”的风格派并不存在，除非我们真的可以趟过时间的洪流，回到风格派诞生的那个时代。每一次对于风格派的重新解读都将会创造一个全新的、基于其本身历史与时代背景的“风格派”，本书亦是如此。

6. 魏默思·胡札（极有可能是其作品），《风格派》杂志标题设计，1917年。
7. 魏默思·胡札，为布鲁因泽尔[Bruynzeel]公司设计的广告，收录于《风格派》杂志，1917—1918年。

6

DE STIJL

7

C. BRUIJNZEEL & ZONEN

ROTTERDAM

PARKETVLOEREN

EIKENVLOEREN MET KOPSCHE GROEF EN MESSING

OM DIRECT OP DE BINTEN TE SPIJKEREN

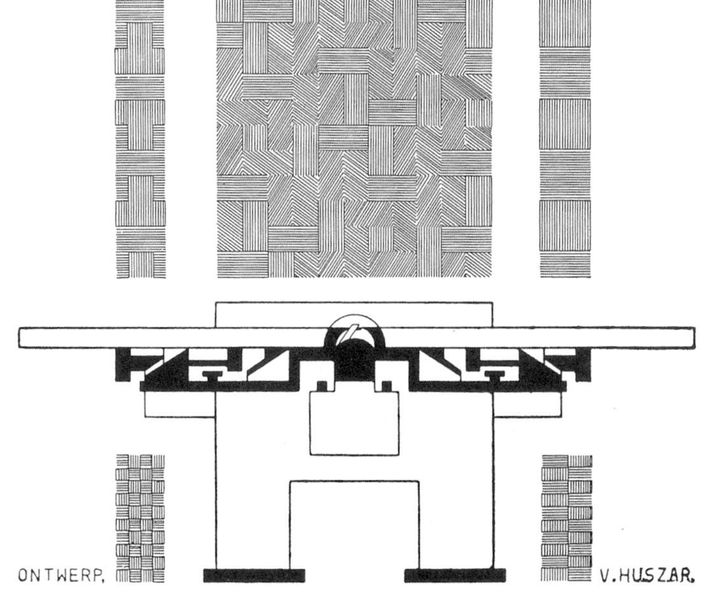

7 Vilmos Huszár, advertisement for the Bruynzeel Company, from *De Stijl* 1917–18

第二章 风格派与现代荷兰

在19世纪后半叶，尼德兰地区的都市结构经历了巨大的变化。区域内的工业化进程，以及19世纪末整个欧洲因从美国进口粮食而发生的农业萧条状况，共同导致了大规模人口流动。

因与荷兰殖民地进行贸易而拥有特殊地位的商业及文化中心阿姆斯特丹，与迅速扩张的鹿特丹之间出现了火热的竞争关系。19世纪末，鹿特丹成为国际现代港口及制造业城市，石油运输及相关的石油化工工业特别突出；与此同时，阿姆斯特丹进行了现代化改造，成为银行、市场及金融交易的中心城市，以多元的制造业及服务业重新焕发生机。尽管这里的人口及财富增长迅速，鹿特丹却并没能如20世纪初所预料的那般，成为如巴黎、伦敦或柏林一般的欧洲国际大都会。相反地，鹿特丹至阿姆斯特丹沿岸的城市及小镇，乃至内陆直至乌得勒支[Utrecht]的沿途城市共同组成了被称作“环城”[the Randstad]的卫星城市群，其中包括城市、村镇、城郊聚落。这些城镇共同组成了一个新月形的区域，中途由绿带一般的农地分隔，这个集合体的人口及经济发展可与德国主要经济区莱茵—鲁尔区域相提并论。

但是，与美洲大陆的贸易往来——一般从德国或欧洲中部开始，经莱茵河出口——改变了鹿特丹在人们心中的印象：这里被视作是世界港口，而不是某种殖民转运港。鹿特丹也在此时发展了一种象征“现代”“中立”“国际”的建筑风格，迥异于阿姆斯特丹学派在20世纪初建立的繁重的异域象征主义建筑风格。现代鹿特丹对于商业的热衷被视作是一种强有力的新时代象征，也被视作是17世纪荷兰冷静及奋斗精神的复兴。包括《新阿姆斯特丹人》[*De Nieuwe Amsterdammer*]以及鹿特丹期刊《荷兰快报》[*Holland Express*]（此期刊有强烈的宗教及国家主义倾向）在内的许多杂志都在鼓励并推广鹿特丹与阿姆斯特丹之间的商业及文化中心竞争关系。欧洲评论家们——尤其是德国的评论家们——将鹿特丹描述成当代荷兰的“现代性”象征。

许多小型的荷兰城镇也在此时经历了迅速的扩展过程及经济发展。乌得勒支市与风格派有着特殊的联系——这是凡·杜斯伯格、凡·德·列克[Van Der Leck]及里特维尔德的出生地。里特维尔德在乌得勒支完成了他作为家具设计师及建筑师的所有工作，他设计的第一栋建筑施罗德住宅也正是坐落于此地。这栋建筑也是风格派建筑的代表作，被人们多次提及。乌得勒支在中世纪时曾是区域内的重要枢纽，但在17世纪经济中心转移至阿姆斯特丹及其他沿海城市后，发展逐渐停滞。乌得勒支是欧洲重要陆路交通道路的交汇处，因此在铁路及内燃机问世之后，此地再次成为重要的交通贸易中心。19世纪，天主教重新获得法律认可后，乌得勒支的大主教司也为当地带来了大量的宗教相关贸易，以及大量的宗教人口。1917年，乌得勒支首次举办了重要的国际贸易博览会——乌德勒支年度交易会[Utrecht Jaarbeurs]。1925年，法国杂志《艺术与装饰》[*Art et Décoration*]称乌得勒支为“一个完全复兴了的城市”。同年，荷兰建筑杂志《建筑公司》[*Bouwbedrijf*]以一期特刊专门讨论了当地的现代建筑。

风格派艺术家及建筑师在呈现自身作品及理念时，都暗含攻击阿姆斯特丹霸权地位之意——阿姆斯特丹之前一直统治着荷兰的文化生活。阿姆斯特丹学派的建筑师及设计师们的作品与欧洲新艺术[Art Nouveau]有相同之处，却又比后者更加沉浸于异域、东方象征主义之中，这让风格派尤其义愤填膺（图8、9）。风格派的艺术家及建筑师们也不是完全摒弃象征主义，但他们使用抽象、几何的艺术语言将创作中的象征主义元素隐藏起来。风格派群体想要抵抗那些被他们批评为巴洛克式的、奢侈的、堕落的风格发展方向，并想要以一种朴素的、有着精神纯粹性及强烈道德情感的风格进行创作。风格派群体相信，他们带来的抽象几何绘画、雕塑、家具设计、室内设计以及建筑设计能够传达思想，甚至是能够更为明晰地传达思想。因为这些艺术实践使用了简单但“有着普世意义的”横向纵向线条并置处理方式，其中还有均匀的黑、白、灰色块及纯粹的原色色块。

在20世纪早期，荷兰曾尝试以瑞典或瑞士的发展模式建立一个新贸易国家的形象。在欧洲几大势力的纷争之中，荷兰采取了中立政策，因此成为了主要关注经济繁荣及资产阶级市民福利的现代社会民

8

8,9. 希尔多·克洛普，桥上雕塑，阿姆斯特丹，1926年（作品细节）；米歇·德·可利尔克[Michel de Klerk]，位于斯坦顿艾莫因艾普兰苏[Spaarndammerplantsoen]的住宅，阿姆斯特丹，约1915—1917年。雕塑家克洛普或阿姆斯特丹学派建筑师德·可利尔克以及许多其他类似的艺术家，均从荷属东印度艺术及传统荷兰船只设计等中获取灵感，在设计中加入充满异域风情的装饰性、符号性元素。克洛普曾是一名糕点师，他于1916年被委任为阿姆斯特丹市雕塑师，并开始为桥梁及住房项目创作雕塑。

9

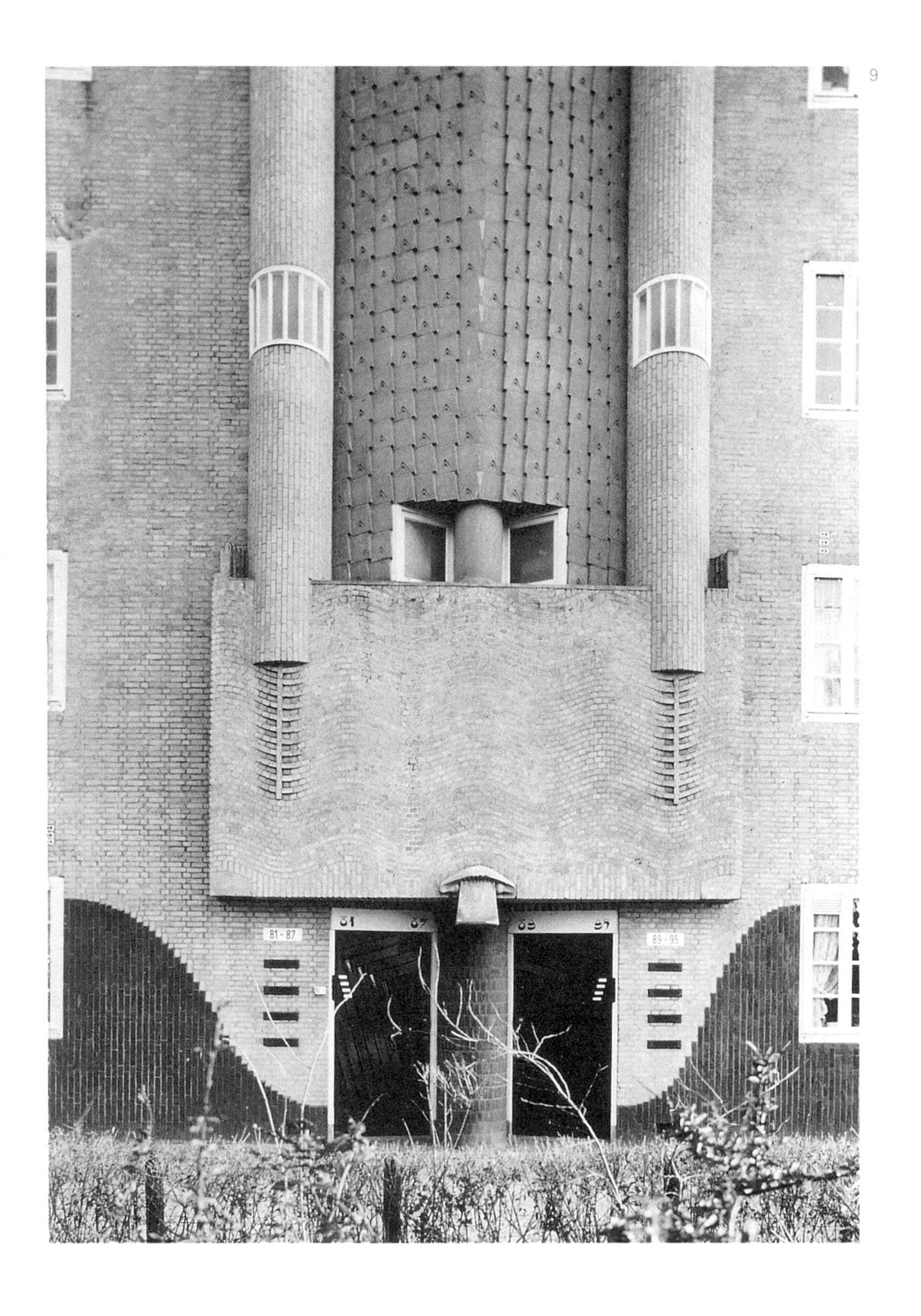

10

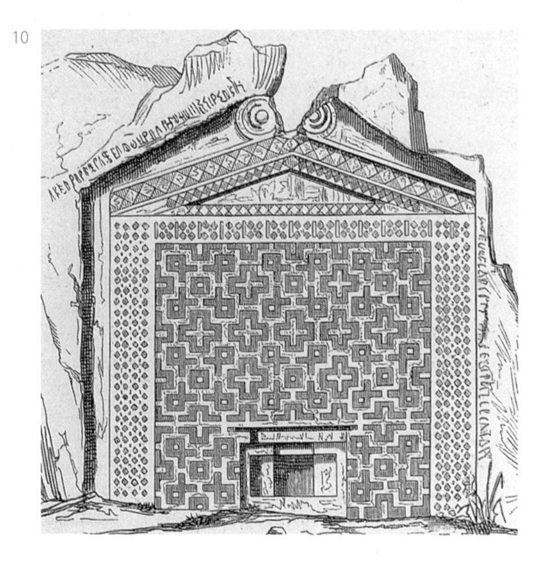

10, 11. 迈达斯[Midas]之墓，出现在戈特弗里德·森珀《风格》一书中，1860—1863年；H. P. 贝尔列支，海尼住宅室内，海牙，1898年。森珀认为，墙的形式来源于游牧民族的挂毯样式；他认为这仅是一种彩色平面，而不是一种坚固的结构。对于贝尔列支来说，砖墙象征了个体与社会的关系。在某些室内设计项目中，他使用不上灰泥的素砖块。

主主义国家，但也展现了对于国境内外的社会正义及人权问题的关注。尼德兰区域内的国际机构，如国际和平会议[International Peace Conference]、仲裁法庭[Court of Arbitration]及海牙的国际人权法庭[Court of International Human Rights]等的建立推动了这一点。1933年，著名的荷兰史学家（J. J. 赫伊津哈）[J. J. Huizinga]（《中世纪的衰落》[*The Waning of the Middle Ages*]及《游戏的人》[*Homo Ludens*]等著作的作者）发表了名为“作为西欧及中欧调停者的尼德兰”的讲座。很明显，凡·杜斯伯格也是这样看待风格派在文化协调中所起的作用。在1919年6月份的《风格派》杂志中，他引用了德国评论家F. M. 许布纳[F. M. Huebner]对于该杂志国际地位的赞颂：“我认为，在今天，在关于文化问题的国际看法陷入僵局之时，很明显的是，你们国家成了富有智慧的协调者，在众多新艺术家、诗人及哲学家团体之间做着协调工作。”

凡·杜斯伯格在尼德兰区域因国际主义倾向以及对于德国思想的兴趣而饱受攻击。在第一本《风格派》杂志面世不久，艺术家德克·罗赫芬[Dirk Roggeveen]就在1917年9月份发表于《荷兰快报》的信中声称，风格派艺术家是由奥地利人及德国人资助的，而凡·杜斯伯格是德国理念及文化的代言人。欧德对此作出了回应，否认了任何来自外国的经济支持行为，指出风格派并没有尝试去寻求，也没有获得任何此类经济支持。他也指出，风格派杂志收录的国外合作者作品及文章并不是旨在宣扬国家主义理念。相反地，这些作品及文章旨在“推动最为广泛意义上的现代艺术的国际特性”，并宣称“这场运动起源于荷兰是一件了不起的事情”。

早在17世纪，荷兰艺术家的作品便广受国际认可及欢迎。随着18世纪商业及经济衰退，荷兰绘画也遭遇了衰败。在19世纪下半叶，海牙学派在荷兰之外建立了一定的声誉。然而，巴黎在20世纪早期成为欧洲的中心，因此荷兰艺术家不得已必须要努力创造并维护自身的名声——无论是在国境内还是在国境外均是如此——尤其是如果他们希望被视作是“现代的”及“进步的”。

1907年，凡·德·列克计划在巴黎进行创作，然而却因对当地社会状况感到震惊而于两周后回国。胡札曾在1907年至1908年间于巴黎生活过数月。在蒙德里安于1912年定居于巴黎时，当地已建立了一个荷兰艺术家团体，这其中包括：彼得·阿尔玛[Peter Alma]、凯斯·凡·冬恩[Kees van Dongen]、康拉德·齐格特[Conrad Kikkert]、奥托·凡·里斯[Otto van Rees]及罗德维克·史卡夫豪特[Lodewijk Schelfhout]，他们长期在巴黎居住并创作。

19世纪末期，相较于绘画，建筑艺术在建立尼德兰新“现代化”形象的进程中有着更为积极的作用。H. P. 贝尔列支[H. P. Berlage]（1856—1934）是当时最具影响力的荷兰建筑师，他致力于创造一种与新荷兰理念相符的现代建筑风格（图11）。他的建筑去除装饰元素、保持冷静清醒风格、不矫揉造作，更重要的是，这种建筑有着一种可依赖的厚重感。这在他最知名的建筑作品证券交易所[the Amsterdam Beurs]（1903）中得到很好的体现。贝尔列支也非常关注廉价房屋——这是当地的一个重要社会问题，因为荷兰是全欧洲人口最为密集的国家。贝尔列支的社会信念让他得出这样一个结论：在住房及公共建筑方面，更应当着重关注的是集体价值，而不是过多的个体性，建筑也应当保留被视作是荷兰社会特点的多样性及容忍度。贝尔列支把这一理念称作是“eenheid in veelheid”：多元中的统一，或多样性中的统一。

了解贝尔列支的社会理念之后，他最为人所称道的建筑，如证券交易所以及缪勒运输公司[the Müller shipping company]的伦敦办公楼荷兰大楼[Holland House]（1914）便成了某种讽刺性的矛盾体。尽管贝尔列支曾修建一些有着前卫建筑风格的大楼，深受他影响的年轻一代建筑师们却更完整地实现了他的社会建筑理念。维斯曾于1914年至1916年间在贝尔列支的事务所任职。作为在风格派建立之初与凡·杜斯

12

12. 威廉姆·杜多克，市政厅，希尔弗瑟姆，1924—1931年。

伯格最为紧密合作的建筑师，欧德也曾在开始建筑师事业时受到贝尔列支的帮助和鼓励。

“风格派”（De Stijl）一词的确立，应当是来源于众人对于贝尔列支创作及理念的兴趣。1904年，贝尔列支曾出版《关于建筑艺术及家具制作的风格》[*Over stijl in bouw- en meubelkunst*]一书，并通过此书向荷兰公众介绍从德国建筑师、设计理论家戈特弗里德·森珀[Gottfried Semper]的著作中衍生出的艺术设计理念。分为两卷的《风格》[*Der Stil*]是森珀关于应用艺术的形式研究的重要论著，最早于1860年至1863年间在德国出版（图10）。贝尔列支基于自身的乌托邦式社会理念发展并运用了森珀的理论。和森珀一样，他非常注重墙面的作用——建筑的墙面同时是可以使用的平面，也是划分及确立空间的工具。后来，这一概念被风格派建筑理论所吸收。在此建筑理论中，“多元中的统一”体现为：风格派建筑、家具、雕塑及绘画建立在众多独立元素的构建之上，而这些作品既被视作是完整的整体，又被视作许多独立元素的集合。

贝尔列支的乌托邦式社会意识形态的其他内涵也可以在风格派中找到踪迹，在风格派建立之初也曾有人建议应当邀请贝尔列支为杂志撰稿。但是，贝尔列支一直反对风格派的理念，之后凡·杜斯伯格对他的数次攻击加剧了他的反对。尽管蒙德里安曾在1921年2月份写给凡·杜斯伯格的一封信件中为贝尔列支做出辩护："你认为攻击贝尔列支真的有必要吗？你认为他真的是我们敌人的代表吗？我总是把他视作是独一无二的建筑师、独一无二的艺术家、独一无二的人物，但是他的确是老派的。"

1928年，刚刚成立的国际现代建筑师及都市规划者施压团体——国际现代建筑协会[Congrès International d'Architecture Moderne（CIAM）]成立大会上，里特维尔德向贝尔列支发问："你为什么不加入我们？你是我们的一份子，不是吗？"贝尔列支则这样回答："你们在摧毁所有我建立起来的事物。"但是，贝尔列支的最后一件建筑作品——位于海牙的市立博物馆[the Gemeentemuseum]（1919—1935），在悠长的横向线条、"元素式"的结构以及建筑内部颜色使用等方面都体现了风格派美学的影响。然而，该风格经过了"本土风格"修正，比如黄色砖块的使用等。这些黄色砖块类似于希尔弗瑟姆的市政建筑师——威廉姆·杜多克[Willem Dudok]在市政厅（1924—1931）（图12）等公共建筑上使用的那些，呈现了一种能够满足保守荷兰品味的现代风格。

1911年，贝尔列支曾访问美国，并于回国后开始在欧洲大陆介绍弗兰克·劳埃德·赖特的建筑及创作理念。恩尼斯特·瓦斯穆特出版社[Ernst Wasmuth]在1910年及1911年于柏林出版了两本关于赖特建筑作品的著作，在当时的荷兰已可读到这些著作。赖特的建筑以一种"现代化了的"、国际化的方式重新解读了英国艺术与手工艺[Arts and

Crafts]运动的理念，这种建筑很适合重新引入欧洲。荷兰有重视室内空间及家庭生活的传统，当地建筑师们因此尤其青睐赖特理念中关于室内环境神圣特性的讨论，以及关于炉膛即是家庭空间的神秘中心的讨论。尽管与风格派有联系的建筑师们更多地是被赖特建筑哲学中有关现代性以及技术的理念所吸引，他关于横向—纵向、外部—内部、自然—文明的神秘主义式对立讨论，与风格派及其他荷兰现代主义者的解读不谋而合。

19世纪末，荷兰手工艺实践引入了机器制造元素。而这里的人们并不如一个世纪前的英国公众一般将机器视作干扰。里特维尔德的早期事业并没有明确的专业方向，而这并不是一个偶然情况。从11岁起，他便作为橱柜匠及商店装潢师为自己的父亲工作，后为一家珠宝公司绘制设计草图。在20世纪20年代中期转向建筑行业之前，他还曾作为独立家具制造者及设计师工作过数年。然而，在20世纪早期，工业化进程为荷兰人民带来了巨大转变：人们从农村出走，在新的制造业中心城市寻找工作，其中的一大部分人来到了鹿特丹。这在众多荷兰城镇中造成了严重的拥挤问题，导致了糟糕的居住状况。1902年通过的住房法案让公众对社会住房状况的大规模干预变成了可能，达到了特定规模的社区也被强制性地要求扩建。在20世纪初的二十年内，这些改善政策在荷兰推行得相对缓慢，但比起欧洲其他国家来说，荷兰已率先关注并尝试解决社会住房问题。（自新住房法案颁布以来，荷兰在1917年新建的住房是历年最少的。）

以贝尔列支建筑实践和论述为典型的社会关注影响了一代荷兰建筑师。法国或德国的现代主义建筑师们不屑于在地方政府机构就职，但在荷兰，包括贝尔列支、欧德、杜多克、凡·伊斯特伦在内的许多建筑师都曾作为市镇建筑师或规划师工作，或曾与当地政府合作。欧德在风格派建立之初便在鹿特丹市官方住房局谋得一职。凡·伊斯特伦自20世纪20年代末直到20世纪50年代作为城市规划师在阿姆斯特丹政府部门工作，他也是1934年具有重要影响的阿姆斯特丹扩张计划的合作者之一。然而，许多风格派建筑设计项目、室内设计、艺术作品、设计作品及器物等都是由私人客户委托制作或收藏的。这就是为什么有着极端社会主义倾向乃至无政府主义倾向的范特·霍夫最终选择与风格派决裂，甚至完全退出建筑行业。

世纪之交，荷兰出现了许多展示厅及工作坊，这些小型机构旨在展示“经过精心设计的室内空间”，并旨在鼓励艺术家及设计师进行合作，创作应用艺术。“艺术与手工艺”[Arts and Crafts]是位于海牙的一家商店，这商店致力于推广新艺术风格，同时也是以伦敦利伯蒂百货[Liberty]及巴黎商店——“宾”[Bing]为蓝本所建立的。而贝尔列支及其他反对新艺术派的设计师则在阿姆斯特丹开设了“室内”['T Binnenhuis]商店以推广更为简洁、朴素的家具及面料。这两家商店都尝试通过完整的、“经过精心设计的室内空间”来展示这些风格理念及产品。“室内”也尝试为工人阶级制作廉价的大规模生产的设计产品。另一间坐落于阿姆斯特丹的展示厅工作坊集合体“住所”[De Woning]则是由家具设计师威廉姆·贝纳特[Willem Penaat]建立的，此机构也制作类似的产品，但是价格则更为低廉。贝纳特为工人阶级设计的家具广受小学教师的欢迎，而在“室内”购买家具及布料产品的则更多是艺术家及知识分子。

对于风格派艺术家及设计师来说，最重要的零售商店则是梅斯百货[Metz]。位于阿姆斯特丹的梅斯百货原本是一家布艺商店，因在荷兰销售伦敦利伯蒂商品而获得成功。在第一次世界大战之后，梅斯百货开始委托设计师创作并生产家具，以建立一个更为“现代”的商业形象（图60）。贝纳特是梅斯百货最早合作的主设计师，他为该公司设计了简约的白漆家具。在20世纪20年代末，梅斯百货开始制作并销售由里特

13

13, 14. 格利特・里特维尔德及助手在奥德里阿诺・奥斯德兰[Adriaen Ostadelaan]家具工坊外合影，乌得勒支，约1918年；
便携电动器械，《建筑公司》杂志1926年10月第一刊一篇文章的插图。因电力日益普及，里特维尔德及其他类似的小型工坊得以通过使用便携式木工器械与大型家具工厂相竞争。

14

TIMMERWERKEN EN MACHINALE HOUTBEWERKING BIJ DE UITVOERING VAN BOUWWERKEN

door Ir. J. G. Wiebenga

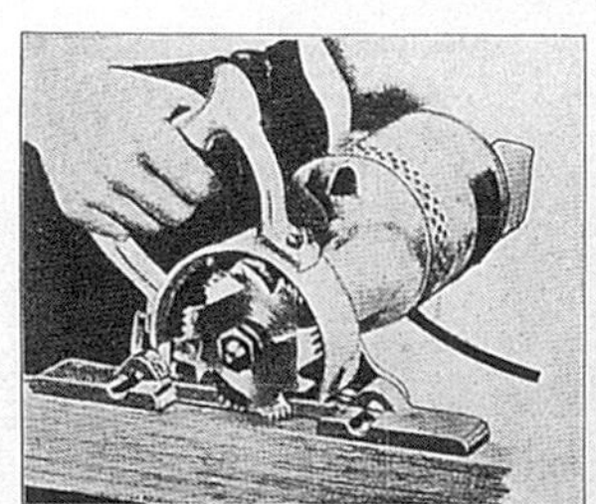

Afb. 1. Handgereedschapsmachine voor zagen, schaven, boren, sponningzagen enz.

VERHOOGING van de arbeidsprestatie per timmerman is van urgent belang. Op twee wijzen kan dit worden nagestreefd: 1o. door bestudeering van de bewegingen van den timmerman; 2o. door het invoeren van machines.

Bij de studie van de bewegingen van den timmerman maakt men van stopwatch en zelfs stereo-fotografische reproductie gebruik, om in onderdeelen van seconden de gemaakte tijden en bewegingen vast te leggen. Vervolgens moeten deze waarnemingen worden verzameld en geanalyseerd, om daaruit conclusies te trekken, waarvan de bruikbaarheid moet worden gecontroleerd. Deze methode, waarvan Taylor de grondlegger was, is geschikt voor timmerwerkplaatsen werkende met vast personeel, waarbij sprake is van dezelfde telkens terugkeerende werkzaamheden.

De aannemer echter schrijft in en de hem gegunde werken komen in telkens andere plaatsen voor. Bij elk nieuw werk

Afb. 2.

维尔德设计的家具（图59—61）。他设计了一系列样板间，为阿姆斯特丹的商店设计了一个炫目的、以玻璃和钢为主要材料的楼顶展示厅，也为海牙分店进行了店面设计。尽管梅斯百货完全服务于富有客户及受过良好教育的中产阶级，里特维尔德设计的家具往往价格低廉、可自行组装，并以适合儿童及青年的房间或是适合于避暑住宅进行推广。

梅斯百货也曾委托胡札及凡·德·列克设计面料，这些设计师也曾与里特维尔德合作设计样板房间（图71）。欧德也曾于20世纪30年代为公司设计家具——矛盾的是，包括马特·斯坦姆[Mart Stam]在内的许多极左派荷兰建筑师及设计师也都曾为梅斯百货做过设计。

荷兰文化有重视室内设计的悠久传统。无论是私密的室内空间还是公共的室内空间——一个是家庭生活的重要空间，一个是荷兰商业资本主义的发生地——都是非常重要的。富裕的商人们和专业人员们经常居住在各自商业机构的楼上，就像是别处的商店店员一样。荷兰家庭起居室的窗户一般直面街道，束起窗帘，房间内灯火通明。因此，私人领域以象征性的方式投射至公共领域之内，而城市中的咖啡馆等场所往往又有着私人空间的隐私感及舒适感。这些咖啡馆常常就是模仿传统资产阶级家庭室内空间建造的，其中的桌子上有“东方式的”毯子，整体为暗褐色调，其中还有一个大大的中央火炉。

自17世纪以来，窗户便扮演着一个重要的角色——荷兰资产阶级财富的象征。他们生活在运河边的标准式住房之中，每一家都非常相似。尼德兰地区的市政征税工作部分根据家庭玻璃制品的规模来征收，因此窗户的大小直接与房主的财富及地位相关。临河或临街的房子非常昂贵，因此城镇内的房屋结构又窄又深——大窗户也确保了房屋内部可以受到日照（图15）。传统荷兰联排别墅的前厅（或称mooie kamer，字面意思为“美丽的房间”）象征性地代表了房屋的临街地位。

在今天，荷兰中下阶层或是工人阶级的住房或公寓也是如此设计

15

的。玻璃不再是奢侈品，但向公共视野展现室内空间仍然是一件重要的事。路上行人被邀请向室内观看，去欣赏那些舒适的家具，欣赏那些无论电力多么昂贵仍然灯火通明的房间，欣赏堆满在窗边的那些充满异域风情的室内盆栽植物或是昂贵的瓷器摆设。

风格派艺术家及设计师尝试解放室内空间——施罗德住宅便是这种实践的典型案例。室内空间即是未来的模型，象征着一种新的生活方式，当时的人们也希望这种新生活方式最终可以进入到公共领域之

15. 运河边的住宅，阿姆斯特丹，17世纪。

中。就像传统荷兰室内空间一样——白日由自然光照亮，夜间不拉窗帘的室内空间则通过灯光照亮——在风格派的室内设计中，窗户起着台口的作用，分隔了外部及内部空间，或称私密、个人及社会性空间。风格派艺术家及建筑师想要以20世纪工人阶级住房代替17世纪运河沿岸房屋样式。这种新式住房旨在满足基本居住需求，或称“最低生存水平”[existence minimum]，中产阶级的住房是这种房屋的高级版本（也就是说，中产阶级住房是以工人阶级住房为基础设计的，而非相反）。

与德·霍希[De Hooch]笔下舒适的资产阶级室内装潢相对的，是蒙德里安工作室简朴的室内环境（图147），以及施罗德住宅空旷、可随时进行改变的室内空间（图95）——施罗德住宅也类似于欧德在克夫霍克[Kiefhoek]以及荷兰角[Hook of Holland]处进行的市政住房建设方案（图108、107）。在相似的建筑中融合众多的生活方式，正缩小着社会阶层之间的鸿沟——正是“平等化”[nivellering]原则带来了这种转变。在20世纪的头十年中，除了荷兰社会中的最保守阶层之外，所有人都在为了这种平等化理念奋斗。

在风格派成型的阶段中，荷兰形成了一种被称作“verzuiling”（字面意思为“支柱化”）的体系，或称 “教派隔离”。每一个宗教团体——以及一些非宗教团体，比如社会民主党派——均发展了独立的学校、医院、养老院、互助社、报纸，甚至是无线电台。直到19世纪末之前，尼德兰区域的政党都是根据各自的宗教倾向建立起来的。这种政策旨在达到贝尔列支曾鼓吹的“多元中的统一”——这一理念也是风格派核心美学及社会理念的基础。基于这一理念，风格派尝试建立一个现代的、“和而不同”的国家。

风格派中的大部分艺术家及建筑师都有社会主义、无政府主义或是共产主义的倾向，尤其是在第一次世界大战之后的那几年。商业或制造业资产阶级在战时牟取暴利的行为致使物资短缺，也带来了憎恶情绪。社会动荡状况在1919年达到高峰，大规模示威运动几乎要在荷兰国内掀起革命。胡札、维斯及范特·霍夫（后者曾短暂加入荷兰共产党）最为积极地介入了这些运动。里特维尔德在20年代仍与荷兰共产党保持紧密的联系。他曾是电影联盟[Filmliga] 乌得勒支分部的书记。（联盟是由纪录片导演尤里斯·伊文思[Joris Ivens]及其他荷兰左翼知识分子建立的激进电影社团，常放映苏联导演爱森斯坦[Eisenstein]、普多夫金[Podovkin]等人在尼德兰地区被禁止公映的作品。）1927年，马特·斯坦姆曾抨击那些为富裕顾客设计"一次性"家具或接受室内设计委托项目的设计师们："家具艺术家们滚开。"对于里特维尔德在当时进行的大众家具设计转向来说，这可能是有着重要意义的推动性事件。施罗德夫人的姐妹安·哈路斯泰因[An Harrestein]嫁给了一名阿姆斯特丹左翼医生。1926年，里特维尔德与施罗德夫人一同重新设计了哈路斯泰因在阿姆斯特丹的寓所。这寓所是亲荷兰共产党派艺术家及知识分子在阿姆斯特丹的活动中心。里特维尔德成了这个圈子的成员及哈路斯泰因寓所的常客。

欧德拒绝加入任何政党或签署任何宣言，包括1918年11月份起草的第一份风格派宣言，这或许是因为他当时在鹿特丹市官方住房局刚刚上任。（他的兄弟彼得·雅各布·欧德[Pieter Jacobus Oud]是知名的自由民主党派[Liberal Democrat]政客，后成为鹿特丹市市长及荷兰议会在野党的领袖。）

1919年，凡·杜斯伯格加入了革命社会主义知识分子联盟[League of Revolutionary-Socialist Intellectuals]，联盟的成员包括贝尔列支等众多艺术家及建筑师。在1919年写给好友安东尼·阔克[Antony Kok]（诗人，风格派杂志早期合作者）的信中，凡·杜斯伯格表达了对俄国革命成功两周年的祝贺，且为西方军事干涉失败而感到高兴。但是，他选择与荷兰共产党撇清关系，因为他相信“艺术不应当从属于政治信念”。

蒙德里安也是这样考虑的。在1919年写给凡·杜斯伯格的一封信中他写道：“布尔什维克［Bolshevism］本身符合我的理念，但这概念已因错误使用而偏离原意。我非常高兴你决定让风格派运动保持客观，而不是与布尔什维克或别的什么政治党派相联系，尽管这样做的确可能是必要的。”

在参与风格派运动之前，凡·德·列克曾以一种风格化但又写实的方式描绘工人阶级生活（图16）。然而，他并没有加入任何政治党派；他相信艺术家应当通过艺术来表达自己的社会理念，而不是通过直接的政治活动。

传统富人阶级或城市资产阶级曾在17世纪因商业资本主义的发展而占据政治、经济及社会统治地位，他们曾在19世纪对工业化及现代化进程表示反对，他们还反对将荷兰各省整合为一个中心化经济体。传统富人阶级或城市资产阶级也是荷兰文化的主要赞助人。从19世纪60年代到20世纪初的海牙学派的作品就代表了他们的品味，这些作品让人想起了一个乡村式的、前工业化的时代。仅在19世纪末期，才出现了一个由制造业及金融业人员组成的新资产阶级群体，他们成为了个人艺术赞助人。最开始时，他们追随传统资产阶级的品味，支持海牙学派的艺术家们。作为回应，该学派的创作量大幅增长。但是，这个新社会阶级中更为“进步”的那些成员们想要支持那些能够体现自身现代形象的艺术。风格派艺术家及建筑师的赞助人及客户们大部分来自于新制造业阶层，有的来自教育水平较高的职业，或本身就是建筑师或艺术家。他们对于艺术的支持一般是小规模的——委托艺术家为他们的寓所绘画或进行室内装潢。其中一位重要的艺术赞助人是木制品生产商科内利斯·布拉泽尔［Cornelis Bruynzeel］，他曾委托胡札及维斯为他在福尔堡［Voorburg］的家设计彩绘玻璃画，也曾委托艺术家为他的木制品生意

16

进行设计（图7）。

众多风格派赞助人中最为特殊的是萨路曼·B. 斯莱博[Saloman B. Slijper]及海伦·廓勒-缪勒（Helan Kröller-Müller），他们大规模赞助风格派。斯莱博是一名证券交易员，他收藏了蒙德里安在1908年至1921年间创作的将近两百幅油画及素描作品。他最终将这些作品捐赠给了海牙市立博物馆，博物馆中另有许多其他风格派艺术家的重要作品。

廓勒-缪勒家族拥有许多船只，还投资了西班牙和北非众多矿产。在评论家H. P. 布莱莫[H. P. Bremmer]的建议下，廓勒-缪勒夫人建立了世界上最伟大的现代艺术藏品系列之一，其中有250幅梵高的作品。

16. 巴特·凡·德·列克《工人从工厂下班》，1910年。另见图24。

此非凡的艺术收藏是廓勒-缪勒美术馆的基本藏品，美术馆位于阿纳姆[Arnhem]附近的奥特洛，这里曾经是廓勒-缪勒家族的房产。廓勒-缪勒夫人大量地购买蒙德里安及凡·德·列克的作品。凡·德·列克曾与缪勒企业保持了长达数年的雇佣关系，后直接受雇于廓勒-缪勒夫人（图31）。布莱莫为蒙德里安及凡·德·列克安排了这些收藏协议，也另为自己与艺术家们进行了安排——他每月向艺术家们寄钱以换得他们的绘画作品。布莱莫也帮助过胡札，尽管他似乎并没有收藏过胡札的作品。

凡·杜斯伯格、欧德以及施罗德夫人全都来自于制造业阶层，但似乎只有施罗德夫人继承了丰厚的遗产。凡·杜斯伯格在荷兰只卖出过少量艺术作品，只能依赖为小众杂志撰写文化评论文章过活。尽管他的第三任妻子耐理·凡·杜斯伯格从父亲处继承了一小笔遗产，凡·杜斯伯格在1931年去世不久前去往瑞士疗养院治疗急性哮喘的钱还是由朋友们募捐得来的。

范特·霍夫来自一个殷实的中产职业家庭，娶了一位富有家庭的遗产继承人，他也曾短暂地为风格派杂志的发行提供过资金支持。蒙德里安的父亲是一所小学的校长。凡·德·列克及里特维尔德均来自工人阶级家庭，也都在很小的时候辍学——里特维尔德于11岁辍学，凡·德·列克则是在14岁的时候成为一名彩绘玻璃画匠人的学徒。

大部分与风格派有联系的荷兰艺术家及建筑师都有着清教徒背景，然而同等重要的是天主教及新教理念之间的沟通及对抗。这事实上也是19世纪末至20世纪初荷兰生活的重要组成部分：凡·杜斯伯格在生命的最后时刻皈依了天主教；施罗德夫人来自于一个天主教家庭；里特维尔德及欧德则是来自严苛的加尔文教派［Calvinist］家庭。尽管凡·德·列克有清教徒家庭背景，他年轻时曾在一家专门为天主教徒制作彩绘玻璃的工坊工作。蒙德里安则曾协助他有加尔文教派信仰的父亲在学校中绘制宗教主题的壁画，也曾在19世纪90年代于阿姆斯特丹求学时为加尔文教派出版物绘制插图。凡·杜斯伯格逐渐确信，作为风格派基础的美学、社会理念能够成为宗教的替代品，能够成为一种精神实证主义。在1922年的一封信中他写道："我们的方块（原文为符号）就和早期基督教徒的十字（原文为符号）一样。"在同年的另一封信中他又写道："方块（原文为符号）终将征服十字（原文为符号）。"

许多风格派的成员频繁地在写作中提到"精神性"。荷兰语"geestelijk"和德语"geistig"类似，并不能被简单地翻译成英语词"spiritual"（精神性的），因为这一词也涵盖了智力或知性之意，而风格派的人们以此反对19世纪的实证主义及唯物主义科学思维。

在构建风格派理念初期，蒙德里安及凡·杜斯伯格都对神智学[Theosophy]及鲁道夫·斯坦纳[Rudolf Steiner]的人智学[Anthroposophy]感兴趣。他们口中的"精神性"理念部分受俄国画家瓦西里·康定斯基[Vasily Kandinsky]的理论影响——后者的著作《艺术中的精神》[*Concerning the spiritual in Art*]（1912）在荷兰广泛传播。自20世纪20年代起，凡·杜斯伯格转向研究科学及类科学概念，比如第四维等。尽管已逐渐对神智学产生疑问，他并没有放弃"精神性"的理念。无论如何，将对现代科技的痴迷及尊敬与对科技的救赎性、精神性的信赖相联系，的确是风格派及其他现代主义运动最为显著的特点之一。

第三章 | 书写风格派

荷兰语在荷兰之外并不通用。在国际上，对尼德兰区域的文化认同，很大程度上被表达为视觉性的——例如绘画和建筑，而不是文学和诗歌。然而，风格派重视写作。凡·杜斯伯格和蒙德里安认为风格派同时也是一场文学运动，而风格派合作者还包括诗人安东尼·阔克。几乎所有与风格派有关的艺术家（特别是凡·杜斯伯格、蒙德里安和欧德）都书写了大量关于自己作品的文章，或是有关艺术与建筑的理论性文章。这些文章发表于《风格派》或其他艺术理论杂志上。他们认为文字是其艺术创作的强有力支持。他们非常了解荷兰视觉传统的优势，也清楚自己的作品能够如何有效地利用这样的优势。他们也同样清楚依赖于这种优势进行创作的局限性：在20世纪早期，荷兰只是一个小型社会民主国家，而荷兰语也就只能在这一小片土地上流传。

一战后，蒙德里安回到法国。他开始用法语进行写作并发表文章（在他搬到伦敦和纽约之后，他便转为使用英语写作）。他的文章也被翻译成德文。一战前，欧德曾在德国工作，他同样也用德语写作，并在德国发表自己的文章。凡·杜斯伯格1921年到1922年间居住于德国，于1923年定居法国，由此他同样运用法语和德语写作。也许这也可以解释为什么凡·德·列克1919年离开风格派之后在国际上的影响相对较小，因为他只用荷兰语写作，还写得很少。然而，尽管凡·杜斯伯格曾在德国和法国生活，《风格派》杂志中收录的大部分文章还是以荷兰语为主的。即使在20世纪20年代后，《风格派》杂志在国际上得到越来越多关注，其文章依然以荷兰语为主。直到凡·杜斯伯格在1928年编辑的《风格派》黎明宫特刊（这是最后一本由凡·杜斯伯格主编的《风格派》杂志），才没有任何一篇以荷兰语写成的文章。风格派杂志对于荷兰语的坚持可以引用赫伊津哈的一段话来形容："荷兰人，正因为拥有他们自己的语言——这个建构了其民族身份和独立性的古老象征，才得以平等、自由地吸收外国的影响。倘若没有荷兰语，荷兰人不可能成为如此伟大的调停者。"

凡·杜斯伯格和蒙德里安相信，现代主义艺术家同时也应该是评论家和理论家。凡·杜斯伯格在《风格派》杂志的创刊号里指出，现代主义艺术家应当有书写自己作品的能力，从而让公众更容易理解他们的作品。1919年蒙德里安写给凡·杜斯伯格："如今我在审视自己的作品，因这作品的透彻而震惊，以至于我又写了一篇文章。"这样的策略延续了19世纪末荷兰文化杂志——《新向导》[*De Nieuwe Gids*]或《新阿姆斯特丹人》[*De Nieuwe Amsterdammer*]等——中的批评论述：在这些杂志中，艺术批评与艺术作品之间的关系密不可分。大约从1912年开始，作者–艺术家，或者艺术家–评论家的角色就开始在荷兰的报纸和艺术杂志中发展起来。一战时，艺术家的宣言和写作成果就开始在展览图录中发表。艺术家们也经常为杂志写评述和批评文章。《风格派》杂志与创立于1918年初的阿姆斯特丹学派杂志《扭转》[*Wendingen*]（图17、18）的编辑均为艺术家、建筑师兼评论家。并且，这两本杂志中的大部分文章都是由艺术家—评论家或建筑师—评论家们撰写的，而不是专职批评家写就的。

这些批评活动帮助建立起艺术家和建筑师们的形象，使得他们在荷兰以及荷兰之外的欧洲国家及美国扬名，这通常被认为是一种典型的现代主义策略。尽管为《扭转》撰稿的阿姆斯特丹学派建筑师和艺术家们也采用了这种策略，《扭转》本身却被认为是反现代主义的代表——更准确的说法是，《扭转》是"折衷主义"的代表。

《扭转》有荷兰语、英语和德语三个不同的版本，每一期讨论一

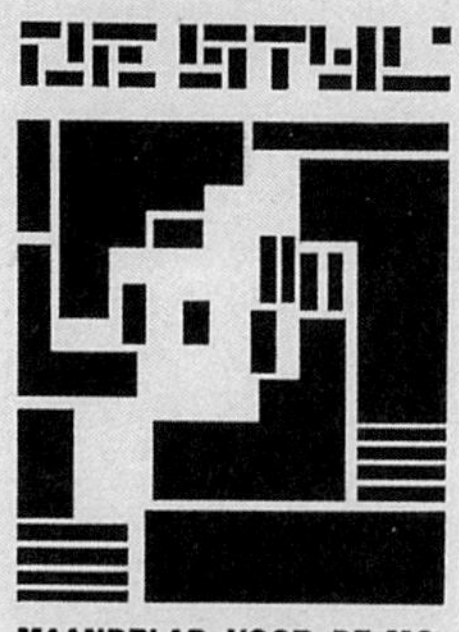

17

17, 18. 魏默思·胡札，早期《风格派》杂志封面；《扭转》杂志1918年7月刊。风格派杂志的严谨几何风格与竞争对手《扭转》杂志呈鲜明对比：后者使用了奢华的纸张及印刷工艺，充满异域风情的封面设计则使用了有机的形象。

18

个特定主题，包括社会住房、剧场、面具、木偶、匈牙利插画，还有扬·特洛浦[Jan Toorop]、劳埃德·赖特、迭戈·里维拉[Diego Rivera]（本期封面由胡札设计）、里奥宁·费宁格[Lyonel Feininger]、苏联剧场设计、埃里克·门德尔松[Eric Mendelsohn]，以及丹麦、瑞典和奥地利的当代建筑。同时，《扭转》也对曾经的荷属东南亚殖民地的艺术进行报道和解读。凡·杜斯伯格原本想要命名“风格派”为“直线”。如果他这样做了，那么《扭转》与《风格派》这两本杂志之间的区别将会显而易见——“扭转”[wendingen]在荷兰语中意为“转向”[turnings]。

在现代主义艺术史叙述中，人们常以非批判性的方式引用艺术家们写作的段落。然而，当这些文章首次发表的时候，它们往往不是被如此对待的。在1917年，荷兰建筑杂志《建筑周刊》[*Bouwkundig Weekblad*]对《风格派》杂志的创刊号发表了评论。这本杂志的编辑J. P. 米拉斯[J.P. Mieras]写道：“在《风格派》中出现的看似精美花哨的短语取代了清晰的论断，模糊的概念化论断使那些会思考的人们不得不提出质疑和反思……什么是造型意识[plastic consciousness]？如何定义“时代精神”[tijdgeest，来自德语Zeitgeist]？这些到底都是什么意思？难道这些特定的词语和名称没有像法律或数学中那样详尽的定义与解释吗？”这很像是20世纪80年代的修正主义批评家与艺术史学家的牢骚。荷兰艺术史学家卡黑尔·布罗特坎普[Carel Blotkamp]在《风格派：建立之初，1917—1922》[*De Stijl: The Formative Years, 1917-1922*]（1986）中写道：“在半个世纪以后，就算是作为荷兰作家的我们似乎也搞不清楚应该如何理解这些兴高采烈的人们写下的宣言。”风格派艺术家们的写作事实上不能被看作是关于他们自己作品的逻辑性或事理性阐释。凡·杜斯伯格在《新造型艺术原则》[*Grundbegriffe der neuen gestaltenden Kunst*]一书的引言中写道：“艺术家们并不书写艺术，他们书写那些存在于艺术之中的东西。”这本书于1919年出版，之后于1925年作为包豪斯书籍再版。绘画与写作均可以被当作一种用来批评和分析的“文本”，但是不能以相同的逻辑来看待、分析艺术家们的写作，就好像不应当运用自然法则与数学定理去分析绘画一样。

1914年，蒙德里安从巴黎回到荷兰，一直到1917年前，他都没有进行大量的绘画创作（在1915年到1916年之间他可能只创作了一幅画）。在这段时间里，蒙德里安开始基于早期的草稿梳理他第一批有关艺术理论的文章。这些文章在日后以“绘画中的新造型主义”[De Nieuwe Beelding in de Schilderkunst]为题分12期连载于《风格派》杂志中。他在位于阿姆斯特丹东北部的小村落拉兰[Laren]进行写作，这个村庄深受艺术家和作家们的喜爱。蒙德里安在这里遇到了凡·德·列克、战前在巴黎就认识的现代主义作曲家雅各布·凡·杜姆思拉[Jacob van Domselaer]和前天主教父——作家马修·西奥马克斯[Matthieu Schoenmaekers]（他称自己为“基督教神智学家”[Christosophist]，这个名称是他用基督教[Christianity]与神智学[Theosophy]组合而成的）。西奥马克斯在当时刚刚发表了两本非常有影响力的书：《新世界的图景》[*Het Nieuwe Wereldbeeld*]（1915）以及《造型数学原理》[*Beginselen der Beeldende Wiskunde*]（1916）。西奥马克斯的写作对于蒙德里安的影响一直以来都被过度强调了。蒙德里安很快就开始怀疑西奥马克斯的理论，并最后确认他是一个花言巧语的江湖骗子。早在1917年5月21日，蒙德里安在写给凡·杜斯伯格的信中提到自己怀疑西奥马克斯，并认为他是一个“可悲的家伙”。然而蒙德里安的确采用了一些西奥马克斯创造的词汇。蒙德里安及其他风格派艺术家从西奥马克斯那里学到的“beeldend”和“nieuwe beelding”两词就语义模糊而难以定义，让译者伤透脑筋，一个简单的英文单词无法解释这些荷兰词语。“beeldend”的意思趋近于“图像组成”或是“图像创造”；“nieuwe beelding”意为“新图像组成”或“新图像创造”。这个词的德文翻译为“neue Gestaltung”（新塑形），更加接近荷兰语的原意。法文翻译为“néo-plasticisme”（新造型主义），再用英语翻译成“Neo—Plasticism”（新造型主义）。这是一个相对没有实际含义的名词。日后负责蒙德里安书稿的编辑则让人们愈加迷惑，他们创造了另一个荒谬的词语“新造型”（New Plastic）。

虽然凡·杜斯伯格深受神智学与西奥马克斯之类的神秘学家的

影响，他的理论写作还是更加侧重于黑格尔式的哲学传统。20世纪初黑格尔的哲学思想在荷兰非常流行，这要归功于莱登大学哲学系教授G. J. P. J. 波兰德[G. J. P. J. Bolland]的教学和出版物。蒙德里安和凡·杜斯伯格对于黑格尔的了解多来自于波兰德关于黑格尔的写作等类似的二手资源。相比凡·杜斯伯格，蒙德里安的写作则更不着边际，他的文章中可以看到很多有关神智学和斯坦纳的人智学理论的观点。他有关宇宙—个体、水平—垂直、自然—精神、男性—女性、抽象—现实、确定—模糊等概念的对立理论混合了黑格尔哲学、神智学、斯坦纳和西奥马克斯的理论。

凡·杜斯伯格也受到相似理论的影响，但是他与当时在艺术理论以及艺术史学方面所流行的思潮——例如威廉·沃林格[Wilhelm Worringer]和海因里希·沃尔夫林[Heinrich Wölfflin]这些德国艺术史学家们的思想——联系更加紧密。他吸收了沃林格关于抽象的观点，同时也在这个基础之上建立了自己的理论。沃林格认为抽象和对于自然的感知是驱动艺术左右摇摆的两个极端。而凡·杜斯伯格则认为艺术史作为一个整体决绝地朝着抽象发展。凡·杜斯伯格从沃尔夫林发表于1915年的《艺术史原理》[*Kunstgeschichtliche Grundbegriffe*]中提取了关于基本“要素”的概念。他认为基本“要素”是组成艺术与建筑的基础。凡·杜斯伯格在1920年安特惠普讲座《古典—巴洛克—现代》[*Klassiek-Barok-Modern*]中进一步发展了沃尔夫林的观点（此讲座的讲稿日后以荷兰语与法语公开发表）。在这里，凡·杜斯伯格通过黑格尔的正题—反题—合题理论延伸了沃尔夫林关于古典与巴洛克的二元对立讨论：古典主义的“正题”以及巴洛克的“反题”在现代的“合题”中融合。

凡·杜斯伯格在1916年到1919年的讲座及论文中做出了一个关于典型现代主义的提议——“发展的”艺术史。他认为从乔托到20世纪早期，西方艺术历史从表现“自然现实”缓慢进化到表现“精神现实”。他在一本早期出版物中通过一系列插图——从旧石器时代到风格派的绘画，证明了此观点。而凡·杜斯伯格与蒙德里安在这个观点上最终还是产生了分歧。蒙德里安认为这个进化的过程在“新图像组成”中达到极致，继而达到艺术的最终形态。他认为，在这之后，艺术便会消失。而凡·杜斯伯格则相信这个进化的过程会一直存在并通向一个永不完结的未知。

就像马里内提[Marinetti]在“第一未来主义宣言”的后记中预见未来主义最终会被下一代的先锋艺术“追缉”一样，凡·杜斯伯格认为“新图像组成”同样也会被一个全新的现代主义发展阶段取代。因此，他在20世纪20年代中期介绍对角线元素时讲到，“新图像组成”实际上是一次对于古典主义的回归（至少蒙德里安是这样理解的），这一正题会被一个新的反题所摧毁，而反题即是被凡·杜斯伯格称作“元素主义”或是“反构图”的风格。在这个风格中，对角线元素支配着整个画面的构图（图19）。

1919年夏天，蒙德里安回到巴黎之后，继续为《风格派》杂志撰稿，并在法国宣扬风格派的思想。与此同时，他也把自己在巴黎的所见所闻传达给他认识的荷兰艺术家们。他向凡·杜斯伯格讲述战后巴黎艺术界的状况，并反复劝说后者搬到巴黎生活，特别是在1920和1921年凡·杜斯伯格去巴黎探望他的时候。

1917年和1918年间，蒙德里安在荷兰生活。当时，他在那里有很多年轻的艺术家追随者，然而到了20世纪20年代早期他在巴黎生活时，则相对比较孤独。战后的法国艺术界对于那些推崇抽象主义的激进派艺术家似乎并没有太多兴趣。他们的沙文主义倾向甚至比1914年时更加强烈。1921年，蒙德里安甚至想过放弃艺术创作，转而做蔬果种植生意。他开始为荷兰客户创作花卉画来维持生计。

19

19. 提奥 · 凡 · 杜斯伯格，荷兰版《古典—巴洛克—现代》的封面设计，1920年。在20世纪20年代中期，凡 · 杜斯伯格将对角线视作是“现代”的设计元素，而不是“巴洛克”式的。

对于凡·杜斯伯格以及整个风格派来说，战争刚结束的几年变化巨大。这种变化不仅仅体现在凡·杜斯伯格的作品中，还体现在他的私人生活里。1920年的巴黎之行是凡·杜斯伯格第一次迈出国门。这次旅行让他眼界大开，并开始喜欢上旅行。同年末，他第一次造访德国。1921年初，他与自己在莱登的第二任妻子蕾娜·米留斯[Lena Milius]离婚，并与奈莉·凡·莫赛尔（Nelly van Moorsel）一同途经比利时、法国、意大利来到魏玛。奈莉·凡·莫赛尔之后成为他的第三任妻子。凡·杜斯伯格曾断断续续地在德国生活过两年。

在接下来的十年间，凡·杜斯伯格走访了法国、德国、奥地利、比利时、意大利、西班牙和捷克斯洛伐克。他在每一个经过的国家都结交了不少现代主义艺术家，并向他们热情地介绍和宣扬自己的作品以及与风格派有关的思想，就像马里内提在战前的欧洲大陆宣扬他的未来主义一样。在1920到1924年间，凡·杜斯伯格放弃了绘画，开始转向建筑，尤其是建筑配色方案设计工作。他开始变得焦躁不安，似乎轻易就会被引向某个未知领域。他创造了除提奥·凡·杜斯伯格这个假名（他受洗时的名字实际是克里斯提安·埃米尔·马利·古伯[Christian Emil Marie Küpper]）之外的另外两个虚构身份：一个达达主义诗人和小说家 I. K. 波瑟特[I. K. Bonset]，和另一个未来主义—达达主义人物奥都·卡米尼[Aldo Camini]。1923年，凡·杜斯伯格决定在法国定居，他开始像法国人那样拼写他的名字：Théo。（蒙德里安于一战前首次搬到巴黎的时候，也把自己名字中的第二个“a”去掉了。他的原名为Mondriaan。）

凡·杜斯伯格开始看到风格派在欧洲发展的潜力，而《风格派》杂志则是推广此项艺术运动的最为主要的渠道。“De Stijl”本身对于荷兰读者们来说是一个含有贝尔列支意义的词语（而对于德国读者们来说，这词则会令他们想到森珀）。另外，“De Stijl”能够轻易地被法国、德国、英国以及意大利读者理解。尽管如此，从1926年开始，《风格派》的封面相继被翻译为“Le Style, Der Stil, The Style, Il Stile”（分别为法文、德文、英文、意大利文的“风格派”）。

尽管一般认为《风格派》杂志的创刊号发行时间是1917年10月，实际上杂志的首次发行大概是在当年的11月初。其中共有16页文字内容，还有一些作品的插图。创刊号中有一篇由凡·杜斯伯格撰写的社论，还有对蒙德里安《绘画中的新造型主义》的介绍、凡·德·列克的文章《现代绘画与建筑的关系》，阔克的《室内空间中的现代绘画》和欧德的《纪念碑式城市以及它的形象》。插图包括凡·德·列克的《构图1917》，以及欧德为斯海弗宁恩[Scheveningen]的海边住房所做的设计方案，凡·杜斯伯格为这些作品做了注解及评论（图32、91）。从杂志内容的选择可以看出，《风格派》杂志关注绘画与建筑之间的关系。

凡·杜斯伯格在1917年5月写信给凡·德·列克，告诉他新的杂志应该是“朴实又真诚的”，在字体和风格上应该实现简洁与朴素的审美，“没有任何陷阱”。《风格派》杂志的第一年的确在审美与质量上都实现了“朴实”且“不铺张”的风格。杂志印刷在廉价的纸张上，附加结构松散的铜版纸插图，插图印刷质量非常低劣，版式小而窄，封面为浅绿色与浅灰色相间（图17）。这样的杂志形式一直持续到20世纪20年代末，凡·杜斯伯格与蒙德里安才一同对杂志整体进行了重新设计（图22）。

《风格派》杂志的出版商代尔夫特的哈姆·希本[Harms Tiepen]在1918年指出，他希望另外委派一位专门负责建筑部分的编辑。这当然不能被凡·杜斯伯格所接受，于是他决定自己进行杂志发行的工作。范特·霍夫为杂志发行工作提供资金援助，直到1919年秋天他与凡·杜斯伯格决裂。

尽管《风格派》杂志在荷兰与世界范围内都受到了不小的关注，其发行量却很难超过300份。1918年3月，杂志大概有120位订阅者，等到了10月份，订阅人数上升到200位。在1920年到1922年之间大概有250人订阅杂志。可能还有一些被分发到书店和博物馆进行销售。这与1927年到1929年之间在阿姆斯特丹制作的先锋艺术类杂志《i10》的发行数量相似，接近于当时先锋派杂志的平均水平。而《风格派》杂志在全球的分布非常广泛，杂志在日本的订阅量出人意料地高。

风格派第二卷的第一期于1918年11月发行，恰逢第一次世界大战结束之际。这一期杂志同时用荷兰语、法语、英语和德语发表了《风格派第一宣言》。宣言的内容主要是扩展风格派在战后世界的国际影响。就像很多欧洲先锋派一样，风格派也将第一次世界大战视作是摧毁“旧世界”从而创造“新世界”的契机。“旧”意指个体的，而“新”则是普世的。战争瓦解了个体的控制。新的艺术在创造“新意识中的内容”，即个体与普世之间的平衡。宣言的结尾邀请读者们一同参与到这项运动中来。他们希望读者们可以把自己的名字、住址以及信息发送给编辑，同时鼓励读者们为杂志撰写批评、哲学、建筑、科学、文艺或音乐类文章，或翻译在《风格派》中发表的文章来传播杂志的思想。凡·杜斯伯格随后表示，一旦荷兰恢复了与其他国家正常的外交关系，他会单独印刷这份宣言，并广泛地在国外重要的艺术中心发放。毫无疑问，他在借用马里内提传播未来主义宣言的宣传方法。但可惜的是，凡·杜斯伯格如此理想化的想法并没有实现，他也不像马里内提那样拥有庞大的资金支持。

尽管《风格派第一宣言》没有像未来主义宣言那样带有侵略性，该文本确实采用了一条一条的建议和带有告诫语气的宣言性语言。凡·杜斯伯格相信，至今为止风格派正在推动自己向国际化的平台发展。他认为以宣言的形式能够有效并且有力地争取到人们的关注——事

MANIFEST I OF „THE STYLE", 1918.

1. There is an old and a new consciousness of time.
The old is connected with the individual.
The new is connected with the universal.
The struggle of the individual against the universal is revealing itself in the world-war as well as in the art of the present day.
2. The war is destroying the old world with its contents: individual domination in every state.
3. The new art has brought forward what the new consciousness of time contains: a balance between the universal and the individual.
4. The new consciousness is prepared to realise the internal life as well as the external life.
5. Traditions, dogmas and the domination of the individual are opposed to this realisation.
6. The founders of the new plastic art therefore call upon all, who believe in the reformation of art and culture, to annihilate these obstacles of development, as they have annihilated in the new plastic art (by abolishing natural form) that, which prevents the clear expression of art, the utmost consequence of all art notion.
7. The artists of to-day have been driven the whole world over by the same consciousness, and therefore have taken part from an intellectual point of view in this war against the domination of individual despotism. They therefore sympathize with all, who work for the formation of an international unity in Life, Art, Culture, either intellectually or materially.
8. The monthly editions of „The Style", founded for that purpose, try to attain the new wisdom of life in an exact manner.
9. Co-operation is possible by:
I. Sending, with entire approval, name, address and profession to the editor of „The Style".
II. Sending critical, philosophical, architectural, scientific, litterary, musical articles or reproductions.
III. Translating articles in different languages or distributing thoughts published in „The Style".

Signatures of the present collaborators:
THEO VAN DOESBURG, Painter.
ROBT. VAN 'T HOFF, Architect.
VILMOS HUSZAR, Painter.
ANTONY KOK, Poet.
PIET MONDRIAAN, Painter.
G. VANTONGERLOO, Sculptor.
JAN WILS, Architect.

MANIFEST I VON „DER STIL", 1918.

1. Es gibt ein altes und ein neues Zeitbewusztsein.
Das alte richtet sich auf das Individuelle.
Das neue richtet sich auf das Universelle.
Der Streit des Individuellen gegen das Universelle zeigt sich sowohl in dem Weltkriege wie in der heutigen Kunst.
2. Der Krieg destruktiviert die alte Welt mit ihrem Inhalt: die individuelle Vorherrschaft auf jedem Gebiet.

20

20.《风格派第一宣言》（英文版），《风格派》（vol.2, no.1）1918年11月刊。欧德拒绝在宣言上签字，而凡·德·列克在此时已与风格派群体断绝往来。

实亦是如此。在1919年初，意大利杂志《造型的价值》[*Valori Plastici*]对《风格派》杂志做出了回应和讨论——这是第一家关注《风格派》的国外杂志。

在接下来的两年内，凡·杜斯伯格尝试与荷兰之外的艺术家和建筑师建立更多的联系。最开始的时候，凡·杜斯伯格与各国艺术家互通书信，《风格派》杂志也开始与欧洲其他先锋派杂志进行交流。早期杂志尾页"接收到的图书与杂志"一栏中便可以看到这些交流记录。第一个为《风格派》撰稿的外国人是住在巴黎的未来主义画家吉诺·瑟威利尼[Gino Severini]。他同时也是唯一一个在战争结束前为《风格派》供稿的外国艺术家。他在1917年12月那期《风格派》上发表的文章曾刊登在法国杂志《法国墨丘利》[*Mercure de France*]上。早期风格派较少收录非荷兰艺术家的作品。一直到1921年，当凡·杜斯伯格来到魏玛的时候，《风格派》才真正在内容上达到它所希望的"欧洲化"，它发表了很多德语和法语的文章，但仍然维持了它的荷兰特性。

《风格派》在1920年大幅改版。竖向的开本不见了，取而代之的是一个更为方正的版面，以及由蒙德里安和凡·杜斯伯格重新设计的封面，包括"NB"（Nieuwe Beelding）两个纵向的红色字母，叠印上黑色的"De Stijl"（图22）。凡·杜斯伯格决定于1921年新年时发行改版后的《风格派》。蒙德里安在收到第一期改版后杂志的时候写信给凡·杜斯伯格和蕾娜·米留斯："今天早上，我看到《风格派》穿上了迷人的新裙子，高兴极了。这真是太完美了。我还想着杜斯在这里的时候我们的对话。你做的改变与我想象的如出一辙。看到我们各自的目标在一同成长，真是令人欣喜的事情。"

新的设计并没有采用像胡札为之前几期杂志所设计的那种全新的字体，而是用已有的字体（"grotesques"字体）以非常规的方式排列与组合。这些字母是一种看上去十分正规与朴素的无衬线体，在白色或

(Uit de serie: SOLDATEN 1916)

RUITER

Stap
Paard
STAP
PAARD
Stap
Paard.

STAPPE PAARD
STAPPE PAARD
STAPPE PAARD
STAPPE PAARD STAPPE PAARD
STEPPE PAARD STEPPE PAARD
STEPPE PAARD STEPPE PAARD
STIPPE PAARD STIPPE PAARD STIPPE PAARD
STIP PAARD
STIP PAARD
STIP

WOLK

VOORBIJTREKKENDE TROEP

Ran sel
Ran sel
Ran sel
Ran-sel
Ran-sel
Ran-sel
Ran-sel
Ran-sel
BLik-ken-tr**o**mmel
BLik-ken-tr**o**mmel
BLikken TRommel
RANSEL
BLikken trommel
BLikken trommel
BLikken trommel
RANSEL

21

乳白色横版封面上不对称地排列开。而红黑两色文字的不对称组合则变成了众多先锋艺术流派在20世纪最爱的平面设计方案——从俄国到瑞典的先锋艺术流派都使用过这种平面设计方案。虽然这种不对称元素在未来主义和达达主义的出版物中曾出现过，但是风格派是最早在杂志封面上采用这种被后世称为“新字体”设计风格的杂志之一。

扬·奇肖尔德[Jan Tschichold]的《新字体排版》[*Die Neue Typographie*]（1928）中有一张风格派信纸和一张风格派明信片就采用了这种风格，蒙德里安为这本书作了引文。这是一本为字体设计师们编撰的手册，附录里包括了16位“新字体设计师”的名字和地址，凡·杜斯伯格就是其中之一。

新版杂志的内容分为两栏印刷在两个分离的单页上，读者阅读和携带的时候就可以把杂志折起来。尽管凡·杜斯伯格在改版之前做了很多尝试，文本内容的字体仍保持着相对保守的样式。《风格派第二宣言》在1920年4月刊上发表，第二宣言强调了“内容与形式之间的建设性统一”。此宣言中的所有字母均为小写——这是早期现代主义字体设计的重要特点，就像凡·杜斯伯格以波瑟特及卡米尼身份发表的文章一样（图21）。

凡·杜斯伯格开始在新版封面“NB/De Stijl”的标志下面写下那些受《风格派》影响的城市名字。在接下来的几年内，人们将陆续看到以

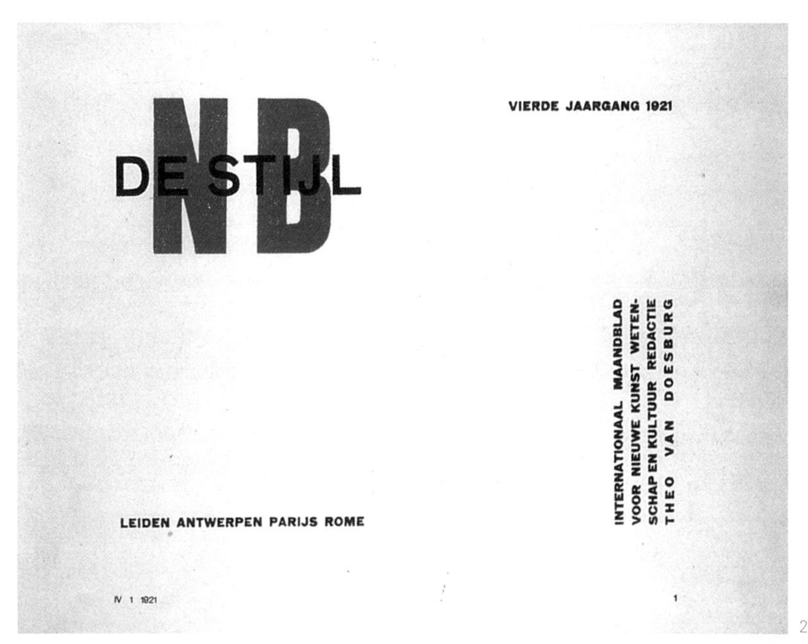

22

21. 跨页内容，《风格派》（vol.4, no.II）1921年11月刊。在1920年5月刊中，凡·杜斯伯格开始以笔名波瑟特发表实验性诗歌，这些诗歌以使用大量不同大小的字体为特色。到了1921年，这些诗歌的视觉呈现愈发多元。

22. 《风格派》（vol.4, no.I）封面，1921年1月刊。此处胡札的封面（图17）及字体设计（图6）被蒙德里安及凡·杜斯伯格共同完成的设计所代替，从此以后，胡札不再订购该杂志。

23

10 JAREN [illegible] 1917 - 1927

Voor nieuwe tijdschriftjes hebb[illegible] niet erg bemoedigend [illegible]cisme. Zoo gaat ook nu we met eenige aarzeling schrijven ov[illegible] maandblad, voor de moderne [illegible]nde kunsten onder de redactie van Théo van Doesburg. Di[illegible] « De Stijl ». De naam wordt den lezer [illegible] een raadseltje van blokken op den omslag opgegeven, [illegible] onze zetterij geprobeerd heeft hierboven [illegible] nabootsinkje te maken.
(Haarl. Dagblad 1917).

Les artistes du « Stijl » so[illegible] cubistes purs, des cubistes qui en certain [illegible]ns, veulent aller plus loin que les cubistes français, te[illegible] le maître Pablo Picasso entre autres, dont [illegible]vre garde un certain caractère de plasticité.
Le « Stijl » n'admet pas ce[illegible]
Le cubisme, qui a bien fait r[illegible]encore en certains milieux, n'en demeure pas moins fort vivace en dépit des attaques dont il est l'objet. [illegible] mérite l'attention. Il n'entre pas dans notre idée de l'analyser ici. Nous voulons simplement constater q[illegible] cette interprétation moderne de la vie, donne déjà, — en architecture par exemple — des résultats que m[illegible] profane (sans parti pris) saurait apprécier. Ceci également mérite l'attention.
Lumière. Nov. 1919.

Dat kunstenaars zich vermaken met, of zich [illegible]geten in het opstellen en verkondigen van theorieen is de dwaasheid van den krompoot. d[illegible] zich op glad ijs waagt, maar het brengt nog humor in de wereld. Dat ze echter waarachtig probeeren om [illegible] lijn en kleur en in beeldende en bouwende plastiek hunne philosophietjes te verwerkelijken is een dwaasheid, die niets beminnelijks meer heeft, omdat het 't aanzien geeft van een pretentieuse propagandakunst, waarvan de onmacht van het woord nog eens dik onderstreept wordt door die van het kunnen.
Ook deze strooming is een teeken van onzen tijd vol van tijdelijkheden, een tijd, waarin niets duurzaams schijnt, en ook deze *mode* zal tijdelijk blijken [illegible] zelfs bij personen, die thans met haar pro[illegible]ken, zal ze voorbijgaan, hopenlijk om ze te ontwikkelen, want [illegible]voor is bij deze rechtlijnige geaardheid no[illegible] ruimte, zoo ze althans voor sommigen geen einde beteekent.
C. J. Blaauw in « De Telegraaf 1920. »

Das Triumphgeschrei der Stilgruppe Architektur und Malerei aus ihren eigentlichen Mitteln : ehrlich, einfach und sachlich, erscholl voll Widerhall in europäischen Ländern. Die rasche Verbreitung der konstruktivistischen Erkenntnisse ist wohl hauptsächlich eine Folge Doesburgscher Taten, dessen philosophische Gründlichkeit die neue Bewegung mächtig gedeihen liess. Hinzu kam dor Umstand, dass diese Erkenntnisse gewissermassen in der Luft lagen, wie das gleichzeitige parallele Vorgehen z. B. russischer Künstler beweist. Eine Zeitschrift « De Stijl » die von Theo van Doesb[illegible] geleitet wurde und ein von ihm verfasstes Werk : « Grundbegriffe der neuen Kunst » haben seine[illegible] verstärkt. Theo van Doesburgs Theorien, welche m. e. viel schärfer umrissen sind als die Meinun[illegible] B. Mondrians, haben trotz und wegen einer gewissen Einseitigkeit — stark gewirkt.
Harry Scheibe, in « Form » (1926).

Wir haben hier nur die Konstatierung zu unter[illegible]chen, dass die Stellungsnahme Doesburgs unbeirrt und früh erfolgte : 1917 — also zu einer Zeit, in [illegible] in Deutschland etwa das Poelzigsche Schauspiel plante.
Dr. Giedion, Zürich in « Cicerone » (1927).

DE STIJL
LE STYLE
DER STIL
THE STYLE

1917 1918 1919 1920 1921 1922 1923 1924 1925 1926 1927 1928

23. 提奥 · 凡 · 杜斯伯格，《风格派》封面，十周年纪念刊，1928年。这是一个非常复杂的设计，淡蓝色的文字之下是凡 · 杜斯伯格的肖像照。

下城市的名字：布鲁塞尔、柏林、维也纳、华沙、汉诺威、安特惠普、布尔诺、纽约和东京。

直到1922年12月《风格派》杂志发行五周年纪念刊前，杂志每月发行都比较规律。凡·杜斯伯格生活在魏玛的时候，出刊时间就会相对拖延一些，尽管他当时在德国也印刷了几期。在1922年12月到1923年3月之间，杂志经历了三个月的暂时停刊，凡·杜斯伯格当时在进行荷兰达达主义的巡回展览（见第九章）。在这之后，由于凡·杜斯伯格开始参与更多重要艺术合作项目，如1923年秋天里昂斯·罗森贝格[Léonce Rosenberg]于巴黎的艾福特现代画廊[Galerie de l' Effort Moderne]举办的展览，或是斯特拉斯堡的黎明宫项目等，杂志的发行开始变得越来越不规律。

编写杂志的压力越来越多地压到了凡·杜斯伯格身上。除了那些从当地媒体上摘录的评论以外，凡·杜斯伯格一人编写了一整本黎明宫特刊。就像凡·伊斯特伦在1926年向他指出的那样："风格派已经完全变成了凡·杜斯伯格的个人化表达。风格派变成了你与你的读者的私人通信录。无论通信的内容有多么重要，目前杂志已经不再是所谓风格派的宣传工具。"

在《风格派》的十周年纪念刊（于1928年出版）（图23）封面上，城市的名字不见了，取而代之的是一幅印在黑色封面上的世界地图，地图上印着"Le Néo-plasticisme"（意为"新造型主义"）的字样。与此同时，斜向穿过地球（非洲大陆）的是一行巨型字体"Elémentarisme"（意为"要素派"）。*这也同样在黎明宫特辑中出现过，意指风格派如今已经获得了全球范围内的主导地位以及文化殖民成就。现实则恰恰相反：风格派的国际影响在逐渐下降，且早期的合作

* 编者注：此段内容似与图23不符，疑为作者写作讹误，中文版配图遵照原版，特此说明。

者以及撰稿人都相继离开了杂志。

《i10》在荷兰出版的时候，欧德是这本杂志建筑内容的编辑，而几乎所有之前（和一些现在仍）参与《风格派》撰稿工作的合作者们都变成了这本杂志的撰稿人。这当然令凡·杜斯伯格不悦。他感到自己被曾经的合作者们背叛了，就是在这样强烈情感的驱动之下，凡·杜斯伯格发行了《风格派》十周年纪念刊。他写道："《i10》没有存在的必要（这本杂志中的内容就像我扔掉的垃圾内容）。"这是导致蒙德里安在此之后决定疏远凡·杜斯伯格的根本原因。然而，1929年11月18日（当时，《i10》已停刊六个月，《风格派》已停刊一年），凡·杜斯伯格写信给欧德，提议这两本杂志合而为一。但是这个建议并没有被采纳，凡·杜斯伯格和所谓的"德国大出版商"的协商也没有成功。风格派的十周年纪念刊以及黎明宫特刊均是在斯特拉斯堡以高质量纸张印刷的。这两期刊物的出版不仅让凡·杜斯伯格精疲力竭，还使他陷入巨大的债务危机，无法继续进行独立出版和发行（图142）。

凡·杜斯伯格作为《风格派》的主编是古怪而异乎寻常的，但是《风格派》从始至终推行着直线风格，从第一期主张不同视觉艺术类型间的合作，到凡·杜斯伯格主持的最后一期黎明宫特刊都是如此。黎明宫的方案正是直线风格的体现，在此，凡·杜斯伯格终于能够和汉斯·阿普及苏菲·阿普合作采用直线风格设计整个空间。风格派的直线有时会有一个或两个尖角——一般都是直角，或是45°角，但是直线是连续的。凡·杜斯伯格的方法从来不是天马行空的，而是对话式、辩证式的。以此方法，《风格派》杂志在其发展过程中一直都保持着自己强烈的现代主义特性。

凡·杜斯伯格在生命的最后一年中出版了一本新杂志《具体艺术》[*Art Concret*]（1930，仅有一期），他也在其中发表了一个宣言，宣言的第三篇文章提到了"自我参照"的概念通常被认为是现代

24

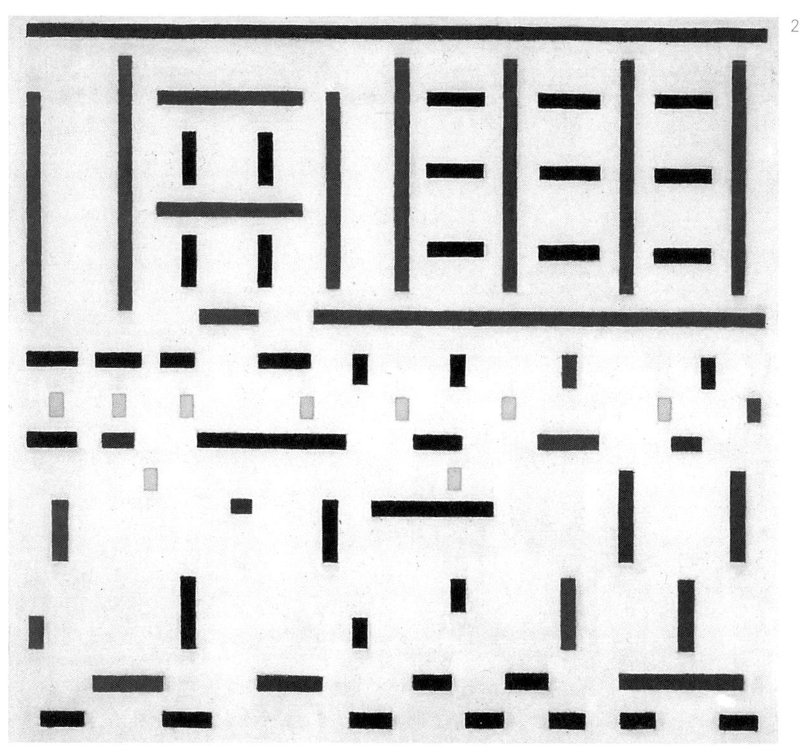

主义重要元素之一："图像必须是完全由纯粹造型元素构成的。这些元素——平面和色彩，仅仅代表其本身；因此，由这些元素构成的图像也仅仅象征着图像本身。"关于艺术"自我参照"的概念早在1920年凡·杜斯伯格的《古典—巴洛克—现代》中就有体现（图19）。尽管当时并没有像现在这般系统。此概念与绝对"平面化"思想，也就是蒙德里安、凡·德·列克以及胡札在风格派早期作品中的一贯追求，在日后变成了现代主义绘画中无可取代的重要元素。

24. 巴特·凡·德·列克，《构图 3》，1917年，此作品"解构"于他的早期作品《工人从工厂下班》（图16）。这件作品看起来是完全抽象的，但与图16作对比即可发现其中的一些形象。

第四章 | 绘画

“风格派绘画”一词会让大部分人想起蒙德里安在20世纪20年代的创作：抽象、几何式的，构图不对称，在白色背景上的是由纯粹原色构成的方块，其上还有经过深思熟虑后平衡、组合起来的黑色线条。但此种绘画风格事实上是蒙德里安在将要脱离风格派时才形成的。因为蒙德里安现代主义大师的盛名，也因为这一类绘画作品看起来与其他风格派作品——比如里特维尔德的“红蓝”椅子（图98）或欧德的乌涅咖啡馆（图100）——有着类似的风格，讨论现代主义艺术的大众出版物或百科全书类出版物经常将蒙德里安这一时期的绘画视作是风格派绘画的代表。

然而，在1917年至1919年间，风格派团体最初的四名画家成员进行了一系列的绘画艺术实验，这些实验性创作与蒙德里安在20世纪20年代的旨趣相去甚远。四名画家在这个时期提出的问题对于许多年后发生的抽象绘画历史来说非常重要。（抽象绘画[abstract painting]，这是一个不得已而取之的名字。另有“非具象绘画”[non-figurative]、“非客观绘画”[non-objective]等称呼，而凡·杜斯伯格则称这种艺术为“具体”或“实在”[concrete]艺术。相较之下，“抽象绘画”实在是一个比较好的名字。）尽管有艺术家同凡·德·列克及胡札一样在后期创作中部分或全部转回具象绘画创作，这四位艺术家的后期作品仍保留了风格派时期的许多重要元素。

在1917年至1919年间，蒙德里安、凡·德·列克、胡札及凡·杜斯伯格四人形成了一种共生关系。大部分人以为蒙德里安在此关系的发展过程中总占着领导地位，但发展过程事实上非常复杂。1917年，蒙德里安45岁，当时，他的事业发展缓慢，前景并不明朗。他的早期作品相对传统，在年近四十时才在荷兰获得一定的知名度。在那时，他的绘画作品结合了表现主义风格与象征主义元素，绘画中的形象尽管是几何化的，但总体来说仍然是具象派的形式。蒙德里安在1912年初至1914年夏于巴黎生活，绘制了一系列有着强烈个人色彩且由立体主义发展而来的绘画。他在独立沙龙[Salon des Indépendants]展出了自己的作品（许多其他荷兰艺术家也曾在此展出作品），而法国诗人、艺术评论家纪尧姆·阿波利奈尔[Guillaume Apollinaire]在1913年回顾并赞扬了这些作品。

蒙德里安在对神智学产生兴趣之后便在绘画中表现出了几何构图倾向。他与立体主义的交流证实并加强了其对神智学的兴趣，而他在巴黎创作的作品及于1914年回到荷兰后创作的作品中的几何元素也随之日益增长。蒙德里安在1914年夏与家人相聚，却也因战争的爆发而被迫在荷兰避难，以相对孤立的状态生活了两年。1916年后他结识了许多日后成为风格派成员的艺术家及建筑师们。他也从当时开始观察荷兰平稳的海岸线，并以此为基础开始了一系列绘画创作。海洋、海滩、地平线及岸边的码头或突出的防波堤为蒙德里安提供了视觉素材，以供他最终“抽象”成众多的几何绘画元素。

这些作品一般被称作“码头及海洋”系列，有时也被称作“加号与减号”系列（图25、26）。这两个不同的名字强调了作品的不同方面：“码头及海洋”强调了作品再现特定景观的初衷；而“加号与减号”则强调了作品的构成元素，这些元素部分来源于蒙德里安对于各地建筑立面的研究；日后，这些元素也成为了蒙德里安所谓“新图像组成”风格的基础。类似的形式元素也出现在其他风格派艺术家、设计师及建筑师的作品中，尽管他们似乎是独立于蒙德里安的创作而采用这些元素的。

25

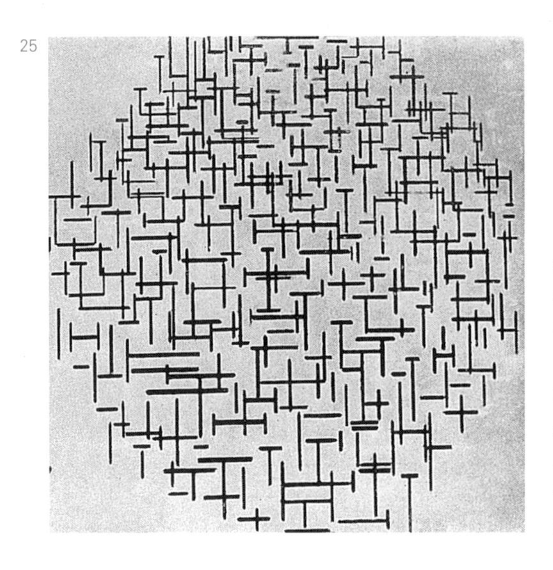

25，26. 彼埃·蒙德里安，《线构图》（右），1917年；《线构图》创作过程中拍摄的图片（左）。蒙德里安在最后的作品中加强并分离了许多元素，这是因为在创作过程中他看到了凡·德·列克的绘画作品。在后者的作品中，每两个厚重的独立元素之间均保持了一定的距离。

蒙德里安并不是第一位创作"抽象"绘画的荷兰艺术家。雅各布·本丁[Jacob Bendien]、雅克巴·凡·汉因斯科克[Jacoba van Heemskerck]、亚那斯·德·温特[Janus de Winter]、约翰尼斯·凡·丁[Johannus van Deene]以及埃里克·威克曼[Erich Wickman]（甚至可能包括凡·杜斯伯格）都曾在蒙德里安之前进行过纯抽象绘画创作，尽管他们的作品相对非正式，也带有表现主义风格——这仍与蒙德里安尝试在自己的绘画创作中达到的效果大相径庭。

凡·杜斯伯格在第一次世界大战爆发前创作的作品相对保守。1914年末或1915年初，他开始以一种非定式的、抽象并兼具表现主义的方式进行创作，这些作品让人想起康定斯基战前的作品，而凡·杜斯伯格也的确是仰慕康定斯基的艺术作品及文章的。他可能也像康定斯基一样受到了神智学著作当中彩色的图示、"思想形式"的插画的影响。1916年，他开始创作一系列结构更加紧密的作品，其中可见结晶状几何

26

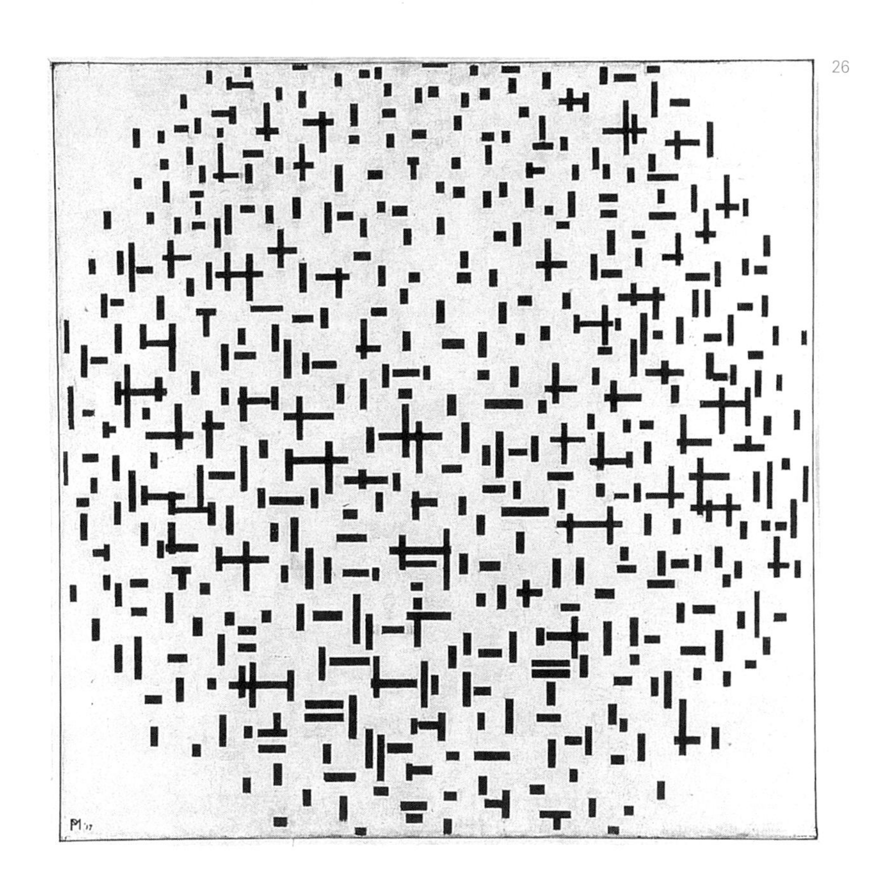

形式，类似于后期立体主义绘画。

尽管凡·杜斯伯格在1916年至1917年间设计的彩色玻璃窗仍然来自于具体形象，相比于他在同一时期进行的绘画创作来说，还是更为完整、自信，也更为抽象（见第六章及插图62）。凡·杜斯伯格早期风格派绘画中使用的众多创作方法及理念，最初是从彩色玻璃设计或其他应用艺术作品中发展出来的。在这些作品中，他率先使用了方形“元素”，这些“元素”类似于蒙德里安和凡·德·列克绘画中的那些，他还使用了“旋转”或“反转”等结构性语言，通过简单几何形式及颜色的结合创作赋格曲式的变形。

在1916年结识了蒙德里安及凡·德·列克之后，凡·杜斯伯格开始以一种更为自觉的方式“抽象化”自己的作品（图29）：他从写实的草图开始创作，并循序渐进地进行几何化处理，直到最终作品中的具体形象不可辨认。他并没有尝试掩盖这些作品的现实来源，甚至发表了这些转变过程，展示作品是如何从写实草图或照片转变为最终的抽象几何绘画的（图27、28）。

1916年初，蒙德里安与凡·杜斯伯格、凡·德·列克相识，随

27

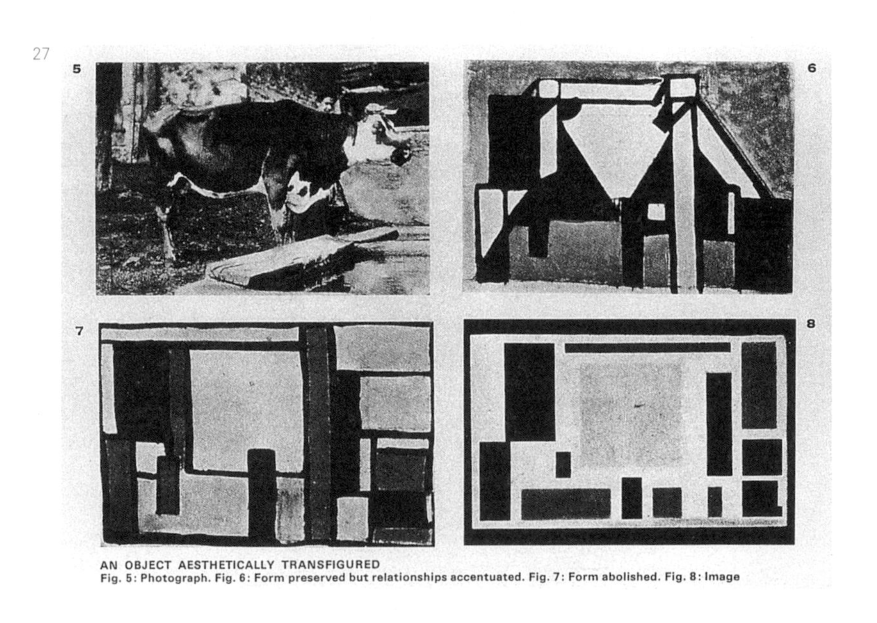

5
6
7
8
AN OBJECT AESTHETICALLY TRANSFIGURED
Fig. 5: Photograph. Fig. 6: Form preserved but relationships accentuated. Fig. 7: Form abolished. Fig. 8: Image

27，28. 提奥·凡·杜斯伯格作品《构图（牛）》（1917年，右）相关照片及手稿，收录于凡·杜斯伯格的包豪斯出版物《新造型艺术的原则》（1925）。在《构图（牛）》的平衡、不对称图像结构中，除了“牛尾”与主体相连的部位及接触到地面的“牛头”与“牛舌”之外，诸多形式相对独立。这作品成功地重新演绎了荷兰绘画的经典主题。照片和手稿共同展示了艺术家的抽象化创作过程。

后他认识了胡札。遇到有着相同想法及创作方式的艺术家，这一定启发了蒙德里安的创作，他在1917年至1918年间创作了大量的作品，远超1915年至1916年间的作品数。与凡・杜斯伯格进行的讨论、往来的书信等让蒙德里安的想法更为清晰，并得以具体地实施这些想法。（凡・杜斯伯格总在尝试劝说蒙德里安更明晰、更平白地写作，然而并不总能成功。）凡・德・列克在那时直接使用原色平涂，他对蒙德里安的创作有直接的影响。蒙德里安曾回忆道："尽管凡・德・列克的绘画仍然是具象的，但他使用平涂方法和原色。我的立体主义绘画技巧——当时多少也是具象的，就是受到他这种技法影响。"1916年，凡・德・列克开始使用纯粹的、未经调和的原色，也同时使用大量黑色及白色颜料，典型作品有《风暴》[*Storm*]及《港口》[*Dock Work*]，在这些作品中，凡・德・列克加剧扁平、像章式具象绘画风格的形式化及抽象化处理。1916年上半年，蒙德里安拜访凡・德・列克时，后者可能就在创作这两幅作品（图30）。

凡·德·列克受到蒙德里安近期的《码头及海洋》[*Pier and Ocean*]（1916）等画作触动，并开始和蒙德里安一样称自己的作品为“构图”[Compositions]（图24、32）。他发展了一种抽象绘画方法：在一幅具象草图上逐渐加上白颜料，最后那具象图形便转变成包含一系列方形元素的几何图案——他把这种过程称作“反构图”[decomposing或decomposition]）。在他的绘画中，众多元素从来不会互相交错或层叠，这和蒙德里安及凡·杜斯伯格的大部分作品不同。他在风格派时期创作的作品经常是“反构图”处理自己早期的具象绘画作品，其中一些草图或手稿是1914年在北非完成的。那时，凡·德·列克正在为缪勒公司海牙总部的彩绘玻璃窗设计委托进行前期研究工作。

凡·德·列克的《构图1917年第五号》[*Composition 1917 No.5*]是第一期《风格派》杂志收录的唯一一张绘画（图32）。这是由1915年的《阿拉伯人》[*Arabs*]，或称《骑驴者》[*The Donkey Riders*]的具象绘画抽象而成的。凡·杜斯伯格为作品添加的图注清楚地表明，他认为

29

29. 提奥·凡·杜斯伯格《构图 X》，1918年。尽管凡·杜斯伯格在创作这件作品时并未看过里特维尔德的作品，但是相对于蒙德里安的“加减号”绘画手法，此绘画作品突兀、粗糙的处理手法其实更类似于里特维尔德早期家具设计中接合方形元素的方法。

30，31. 巴特·凡·德·列克《码头》，1916年；巴塔菲尔[Batavier]船运公司的海报，1915年。凡·德·列克曾在其母公司缪勒公司的委托下为该船运公司制作海报，并基于这张海报创作了此绘画作品。

32. 巴特·凡·德·列克《构图 1917年第5号》，收录于1917年10月第一期《风格派》。

30

BATAVIER-LIJN
GOEDKOOPSTE EN
GEMAKKELIJKSTE ROUTE
GEREGELDE DIENST
VOOR VRACHT EN PASSAGE
ROTTERDAM LONDEN
BATAVIER IV
CUSTOM HOUSE & WOOL QUAYS
LOWER THAMESSTREET LONDON
Wm H.MÜLLER & Co
ROTTERDAM WILLEMSPLEIN 3

31

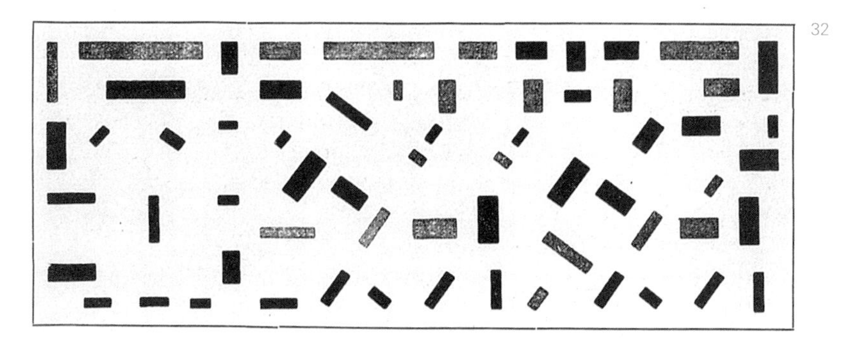

32

凡·德·列克的“构图”系列绘画是非常成功的。蒙德里安不同意此观点，抱怨说人们仍然能够“在画面上看到驴子”。这幅画是八组“对画”中的一幅，而这八组“对画”就是凡·德·列克在1917年完成的全部作品。在每一对画作中，一幅作品的画面由轻盈的方形元素构成，另一幅则采用厚重的平面元素。凡·德·列克先完成“轻盈”的画，在创作“厚重”画时，他将使用的元素加重为长方形或正方形。这些作品是风格派艺术家在这一时期最为认可且自信的作品：相较来说，蒙德里安在这一时期的作品只是试探性的。

凡·德·列克在1917年的绘画中偶尔将正方形或长方形元素斜向摆放。1918年，他开始创作含有菱形、平行四边形、长方形以及方形的绘画。斜向元素在凡·德·列克的作品中愈发重要，这为画面中的纵向

33

及横向元素带来了一种动态平衡。在这一方面，凡·德·列克又一次率先为风格派的形式美学带来了重要的影响。20世纪20年代中期，蒙德里安及凡·杜斯伯格曾就是否应当使用斜向元素进行了激烈的争论。

凡·德·列克风格派时期的绘画可能从来就不是绝对抽象的，画面中的形状都是从自然事物“反构图”的结果，就像他在1917年创作的画一样。1921年前，他常在画面中描绘难以辨认的物件，以此代替清晰可变的现实形象。在此后创作的绘画则基于描绘对象，但这些画的风格

33. 魏默思·胡札《静物构图（锤子和锯子）》，1917年。画框也是此作品的重要组成部分。凡·杜斯伯格曾在1918年1月的《风格派》（vol.I, no.3）中将此作品彩色印刷，但是因为印刷粗糙，以致它几乎成了另一件独立作品，比起原作更为扁平、抽象。
34. 彼埃·蒙德里安，《红、黄、蓝构图》，1922年。

也是高度形式化、几何化的。1958年，凡·德·列克去世前的一小段时间内，还曾绘制纯抽象绘画。

和风格派群体中的任何一位画家一样，胡札同时创作具象绘画及抽象绘画（相对来说，后者的数量更多）。20世纪20年代末期，他使用自己早期抽象作品的形式方法创作了一系列风格化的具象绘画，而这些作品与凡·德·列克的颇为相似。尽管胡札曾于1907年至1908年间在巴黎生活过一段时间，但他的作品事实上与当时欧洲中部艺术与设计的抽象倾向更为接近（他在世纪之初曾在布达佩斯及慕尼黑学习）。胡札绘画及版画作品中的几何形式与同时代法国或荷兰现代主义艺术家的作品不同，更接近于同时代匈牙利先锋艺术家的形式语言，常调转前景形象和背景的关系，也常使用透明效果。胡札也常从事平面设计和应用艺术，尤其是彩绘玻璃画。与凡·杜斯伯格相似的是，相较于他在1916年至1917年间创作的绘画作品来说，胡札的彩绘玻璃画往往更为抽象、简化。在含铅玻璃格条结构上进行创作这件事，或许对胡札绘画作品的抽象化、几何化倾向有影响。

胡札为《风格派》杂志封面设计的标志事实上是从一对拥抱着的情侣形象抽象得来的结果（图17）。四道几乎完全相同的横向线条可以被视作是手，而其他递进的形状或许代表了情侣的头发。这是19世纪晚期至20世纪早期的常见主题。布朗库西[Brancusi]曾在创作抽象雕塑《吻》[*The Kiss*]的时候使用了类似的形象——风格化了的人脑袋和手。（在20世纪20年代中期，凡·杜斯伯格曾想在《风格派》中使用布朗库西雕塑的图片，并将其称作是风格派“合作者”。）在创作《风格派》标志的时候，胡札曾尝试平衡黑色区域和白色区域占比，而不是让人感觉图像是白色背景之上的黑色几何形状。他在1917年下半年创作的绘画将画面中的元素以更紧密的方式联系在一起（图33、35）。他想要将画面变得更为扁平，避免任何让画面有纵深感的幻觉。他对于画面中

35

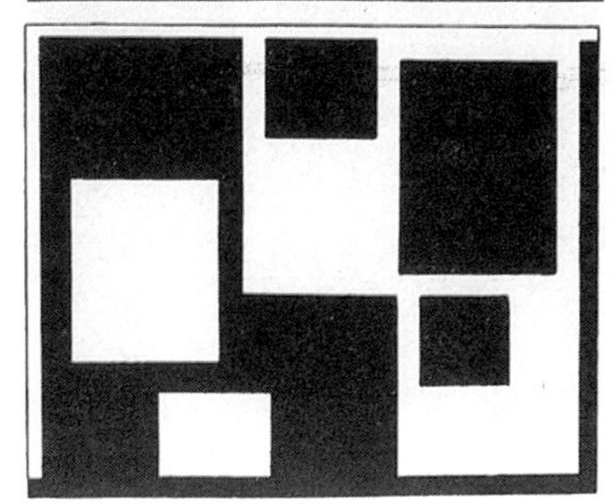

36

众元素相平衡的坚持，以及对于画面扁平、无纵深的坚持，在当时也得到了蒙德里安、凡·德·列克的认可——但是对于凡·杜斯伯格来说，这些坚持并不那么重要。

胡札、凡·德·列克、凡·杜斯伯格的绝大部分作品都仍然基于对于具体形象以及风景的抽象化处理，甚至蒙德里安的一部分作品也是如此。蒙德里安在1917年前后创作的绘画作品几乎完全基于风景或建筑形象，而风格派群体的其他艺术家则几乎完全基于人像或静物形象进行绘画创作。但是，胡札在1918年前后创作的少量绘画（这些作品已经遗失，现只有照片记录）似乎是完全没有现实参照的（图36）。他在这些作品中使用色彩明亮的几何形状，似乎也不同于蒙德里安同年创作的绘画。在其中一张画中，一些小型、带有明亮色彩的方块形状在一个黑暗背景上相互挤压，就像是墙砖和水泥的关系一样。胡札最起码在1918年

35. 魏默思·胡札《构图VI》，《风格派》1918年4月刊（vol.I, no.6）浮雕版印刷页。这是胡札现存作品中最早的一幅纯粹抽象式的作品，可能来源于一幅现已遗失的绘画。这作品比《风格派》杂志标识更抽象（见图17）。

36. 魏默思·胡札《构图》，1918年。

的一幅作品中使用了覆盖整个画面的有规律的格子结构。蒙德里安也曾在1918年及1919年的作品中这样做。两位画家似乎是各自独立达到这种效果的，因为蒙德里安曾在1918年写给凡·杜斯伯格的信中提到："我曾给胡札看过我当时在创作的一幅画，他认为这画不错。我也使用了一种规律的画面细分方法，而那时我并不知道他也在这样做。然而，我现在仍然在不断修改这种画面细分方法，我觉得最后会与胡札的作品有明显的不同。"

蒙德里安开始将他的画面划分成横向及纵向线条，在其中填上不同的颜色。最开始的时候，他靠直觉随意安排划分出格子，但自1918年中起，他便开始依照一种简单的数学系统进行画面区域划分。

此系列中的一些作品，比如1918年的《带灰线的菱形》，几乎完

37

38

全对称、整齐。另一些作品中的格子则是斜向出现的。的确，蒙德里安可能是为了与胡札的创作区分开而进行这种处理的。他于1919年早期参加阿姆斯特丹市立博物馆[Stedelijk]的荷兰艺术圈展览[Hollandsche Kunstenaarskring Exhibition]时，改变了作品方向以形成菱形画布，这或许是因为他想要避免画面当中的斜向元素。1919年6月回到巴黎后，他创作了两幅作品，画面被划分成许多同等大小的方块，就像是一个棋盘（图37）。1920年至1921年间，他创作了一系列不对称构图绘画。但这些画面中各个独立的方块之间有一种紧密的关系，就像是一个非常

37. 彼埃·蒙德里安《带有亮色的格子板》，1919年。蒙德里安曾如此向凡·杜斯伯格介绍这一幅作品（或是另外一幅类似的、颜色稍暗的绘画作品）："这作品重构了星空，却没有使用任何自然元素。"

38. 吉奥·万东格洛《构图》，1918年。万东格洛同时进行绘画及雕塑创作，他的创作相对独立于其他风格派艺术家的活动，他在战后回到比利时，并于1920年移居至法国。

规矩的房间。1922年至1928年间的许多作品则更不对称，画面中有大量的留白，就像是一堵白墙或是日本室内空间常见的油纸屏风。画面上的颜色往往被缩减为细小的色块或线条，环绕着画面中心的大量留白（图34）。

在1922年以前，蒙德里安常在调色时融入大量的灰色以创造出一种相对中性的效果。而凡·杜斯伯格很不喜欢这种处理方式，他坚信灰色“污染”了颜色。凡·杜斯伯格在当时使用“纯粹”的颜色，但也在使用原色之外使用了间色，比如绿色、紫罗兰色及橙色等。

风格派群体的大部分艺术家们均对制定颜色体系及系统地安排颜色感兴趣。1918年8月，胡札在《风格派》杂志中讨论了德国科学家威廉·奥斯特瓦德[Wilhelm Ostwald]的颜色分级系统，杂志也于1920年5月刊登了后者的一篇文章。万东格洛似乎自行发展出一种划分颜色的系统。他在1918年创作的绘画中使用纯原色——比如《构图》，在白色背景上绘制方形色块（图38）。1919年，他开始在调色时于原色中混入白色，以制造一种柔和的阴影效果。1920年，他开始使用色谱上的全部七种颜色。

1920年4月，蒙德里安与万东格洛相识于巴黎。蒙德里安随后写信给凡·杜斯伯格，并评价万东格洛使用紫色乃至全部色谱颜色的方式“有一点不成熟”。蒙德里安当时仍然在绘画中使用灰色，有时这灰色是独立出现的，有时用于调和原色。直到1922年，蒙德里安才开始使用“纯粹”的原色、白色以及黑色。这些颜色在日后被视作是最能代表他

39. 提奥·凡·杜斯伯格《构图XVIII》，1920年。在蒙德里安的巴黎工作室看到他在墙面挂上矩形的硬纸板和画布后，凡·杜斯伯格便开始创作此三联作品。他想要表明，这些作品只是一个庞大整体的一部分，而那庞大整体的中心便是三联画之间的空白处。

40. 提奥·凡·杜斯伯格《反构图VIII》，1924—1925年。此黑白作品是他唯一一张以菱形样式摆放的作品。他原本想以此方式摆放《反构图V》（1924—1925），但最终将这件作品当作是有斜向元素的方形作品来摆放。

39

40

的个人风格及整个风格派绘画的。

除了在1918年画布方向被改成菱形的那些绘画之外，蒙德里安在1925年前仅创作了一到两幅菱形的绘画作品；1925年，他创作了五或六幅菱形绘画，之后几年又创作了一些，其中包括1931年的《两条线的构图》（图42）。这些菱形画为评论界以及史学界带来了巨大的影响。有一些评论家认为画作来源于17世纪荷兰教堂内立柱上为死者悬挂的菱形纹章。其他评论家则称，蒙德里安使用菱形画面是因为他单纯地想要

41

避免画面内的对角线。这种解释更为简单、可信。也有人指出，蒙德里安在20年代中期的众多绘画，尤其是后期的菱形绘画，均代表了某个庞大整体的一个碎片。这也是凡·杜斯伯格于1924年至1925年间创作的《反构图》[*Counter-Compositions*]的隐含特征（图39）。

1920年至1924年末，凡·杜斯伯格放弃了绘画，转而进行建筑设计及应用艺术创作。在1924年末或1925年初重新开始绘画的时候，他创作了一系列使用斜向元素的绘画，并称这些作品为“反构图”。最开始的时候，这些绘画使用钻石形画框，其中有纵向和横向的形状（比如《反构图 VIII》）（图40）。凡·杜斯伯格早期作品中有此类作品的先例。他在1917年为圣安东尼波德[Sint Antoniepolder]一位学校教师的家（住宅建筑由维斯设计）创作了五幅同样的彩色玻璃画，通过厚木质格条在矩形窗户上加上了钻石形状（图62）。

凡·杜斯伯格很快便开始从钻石形状画面转向一种更为复杂的形式：在包含斜向元素的方形正交画面[square orthogonal format]上进行创作，这与蒙德里安在1918年至1919年间所做的正好相反。同系列的后期作品，比如《不和谐的反构图》[*Counter-Composition of Dissonance*]（1925），以及《反构图 XV》[*Counter-Composition XV*]（1925）（图136），都是直接在方形或矩形正交画面上完成的作品。这可能是凡·杜斯伯格对于蒙德里安在当时回归菱形画面的回应。蒙德里安的创作也可被视作是对凡·杜斯伯格的回应。杜斯伯格自1923年起便在建筑及室内设计方面使用斜向元素。1925年，两人的竞争愈发激烈，而两人关于斜向元素使用方式的分歧直接导致了两人分道扬镳。凡·杜斯

41. 在凡·杜斯伯格位于巴黎附近克拉马尔[Clamart]的工作室中，舞蹈家吉美斯[Kamares]站在《反构图XVI》前。凡·杜斯伯格在1927年为黎明宫的电影院—舞厅进行的设计工作（见图105）使用了类似的斜向色块，以展现人体在跳查尔斯顿舞[Charleston]或黑人扭摆舞[Black Bottom]等当代爵士舞蹈时的动感。

42

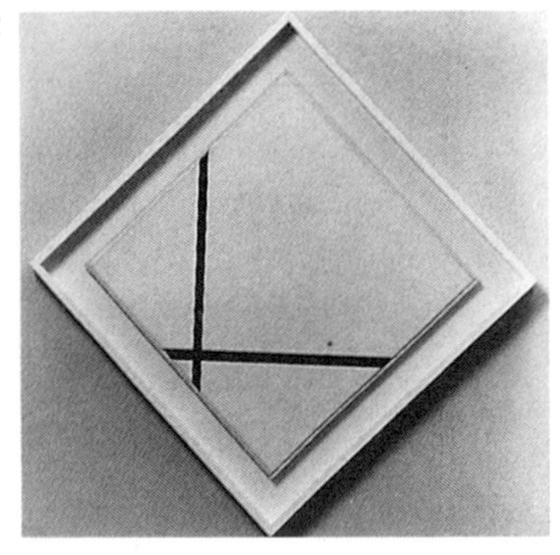

43

伯格以不稳定、动态的斜向形式反抗“新图像组成”平衡的纵横向形式——这就是他所谓的反构图[Counter-Composition]，或称“元素主义”[Elementarism]（图41）。

在由蒙德里安定义的风格派早期美学中，横向线条代表了大地或地平线。纵向线条则代表了在环境之中的人（图42、43）。纵横向形式，对于蒙德里安来说，也代表了女性与男性的不同天性和文化。蒙德里安认为矩形关系代表了一种平衡结构，一种和谐的平衡，而凡·杜斯伯格则为这种平衡引入了一种斜向形式。20世纪20年代中期，凡·杜斯伯格开始相信：对角线形式能够通过一种纯粹抽象的方式代表运动中的人体、现代机械化后生活的速度，或是象征被人所掌控的自然力量。同时，他也相信斜向关系能够更完整地实现“精神性”，因为这种关系相反于自然的地心引力稳定性及纵横发展的物质结构。他希望通过“反构图”这个词汇来表达这层含义。俄国先锋艺术家马列维奇[Malevich]、

42，43. 彼埃·蒙德里安《两条线的构图》，1931年；威廉姆·杜多克，市政厅，希尔弗瑟姆，1924—1931：市政厅议事厅的历史照片。市政厅收藏了这一幅黑白绘画——蒙德里安最为简洁的菱形构图作品，但却从来没有把这件作品挂在这间办公室。杜多克曾在自己的办公室中展示这作品。在看过该建筑的照片后，蒙德里安如此评论：“半现代式的……被新形式包裹的老旧事物。”

罗钦可[Rodchenko]及李思兹基[Lissitzky]等人的作品及观念为20世纪20年代初期于德国进行创作的凡·杜斯伯格建立了非常好的范例，向他说明了斜向形式可以被应用在现代艺术之中，而不仅是对抗被他称作巴洛克绘画的那些作品。

凡·杜斯伯格相信，通过斜向形式的“反构图”，他能够建立一种非极简主义的抽象绘画，这种绘画能够很好地再现生命的多样性及生命力。这种艺术中包含了一种对于人类运动和彼此间关系不断变化的动态的描绘，而不是风格派早期理论及实践中强调的“普世性”的静态平衡。

44

44. 提奥·凡·杜斯伯格《花园雕塑》，1919年。这些花盆使用不同的灰度上釉。凡·杜斯伯格在发表于一本建筑杂志上的文章中说，他曾想象这件雕塑被放置在一片绿色的草坪上，其中插满红色、黄色、蓝色和白色的花。

第五章 | 雕塑和家具

凡・杜斯伯格认为，若想要实现一切视觉艺术形式的统一，风格派雕塑的创作是必不可少的。他自己设计了一系列立体作品，包括一个极度风格化的、几何形状的橡木头像，来作为1917年维斯在阿尔克马尔[Alkmaar]设计的一所房子的螺旋楼梯中柱。此作品的风格与阿姆斯特丹学派的雕刻家希尔多・克洛普[Hildo Krop]和约翰・拉狄克[John Radecker]的风格奇异地相似。1917年末到1918年初，凡・杜斯伯格与维斯合作一起为弗里斯地区[Friesian]城市吕伐登[Leeuwarden]举办的建筑比赛设计一座纪念碑，然而他们仅仅做出了一个模型；1919年凡・杜斯伯格还设计了一件园艺雕塑，这两件设计均为抽象作品（图44）。但是，为了平衡画家与建筑师之间对彼此的不信任感，一个风格派雕塑家的角色是至关重要的。于是，凡・杜斯伯格结识了从1914年便开始在荷兰工作的万东格洛。

万东格洛一般被叙述为仅仅是风格派中的雕塑家，《风格派》于1918年7月开始刊载他的作品插图与文字选段。除了后来变成亲密朋友的蒙德里安，他似乎与其他的风格派艺术家们并没有太多来往。他在20世纪20年代早期认识了刚刚回到巴黎的蒙德里安，那时候他自己也住在法国。万东格洛名为《始自椭圆形的构图》[*Composition starting from an Oval*]（1918）的作品风格类似于一幅立体的风格派油画（图45）。他另外两件均名为《体积关系构成》[*Construction of Volume Relations*]（1919）的小型雕塑被认为是万东格洛对风格派美学最重要的贡献（图46）。这主要是因为这两件迷你雕塑对于质量与虚空空间的正负影响的高度把握。这些作品与当代风格派设计异曲同工——比如欧德1919

45

46

年为位于皮尔默伦德[Purmerend]的工厂所创作的设计草图（图3）。凡·杜斯伯格于《风格派》1920年3月刊的一篇注释中对这两种设计进行了比较。

早在1919年，凡·杜斯伯格便在《风格派》中这样形容里特维尔德的家具设计：“（里特维尔德的家具设计）为雕塑在新型室内设计中的位置提供了答案。”里特维尔德也时常把自己的家具当作雕塑来进行讨论。与此同时，即使是像“小茶几”[the End Table]和1923年的“柏林”椅子[Berlin Chair]那样拥有明显雕塑性的家具，也都至少具备象征性的使用价值。

在里特维尔德于1919年与风格派取得联系之前，他大概对家具设

45，46. 吉奥·万东格洛，《始自椭圆形的构图》，1918年；《体积关系构成》，1919年，收录于《风格派》1919年12月刊（vol.3, no.2）。杂志中另收录了一件有着同样标题的作品，现已佚失。

计进行了一年左右的实验性尝试。范特·霍夫令凡·杜斯伯格意识到这一点。凡·杜斯伯格在1919年9月的《风格派》中特别介绍了里特维尔德对于家居设计的尝试是在运用三维形式来表现风格派的原则。他写道："我们的椅子、桌子、柜子，还有其他可用的物体，均是我们未来室内（抽象—现实）的图景。"里特维尔德的家具恰恰体现了风格派立体式作品应具备的特点：作品的局部均由独立的元素组成（同时又可以被看作是一个整体），这些元素可以看作表现了贝尔列支式的"多样性中的统一"的理念，同时也可以作为未来室内设计的雏型。当里特维尔德1924年与施罗德夫人一起设计施罗德住宅的时候，除了"巴菲特"椅子[Buffet]（1919），他几乎所有早期的实验性家具作品都被用来装饰这座房子了（图94、98、4）。

在现代设计史中，里特维尔德通常被介绍为一个富有天赋但并非科班出身的工匠，这样的评判是不准确的。尽管他在11岁离开了学校，里特维尔德而后在夜校学习了设计和建筑。他也曾经师从乌得勒支建筑师和设计师 P. J. C.克拉海默[P.J.C.Klaarhamer]。里特维尔德经常协助克拉海默完成作品，而克拉海默的圈子对当代艺术与设计并不陌生。

早期现代主义历史学家——例如西格弗莱德·吉迪恩[Sigfried Giedion]——认为像"红蓝"椅子、儿童高椅（1918）以及"巴菲特"椅子这样的作品是全新的、前所未有的。然而近代的评论家们则认为"红蓝"椅子中简洁的条纹设计以及那些带棱角的平面均可追溯至赖特、贝尔列支以及克拉海默早期设计的椅子以及许多其他的作品。范特·霍夫在豪斯特海德[Huis ter Heide]（见第7章）设计的农场的主人J.N.弗洛普[J.N.Verloop]曾经请里特维尔德仿制过一些赖特的家具。弗洛普向里特维尔德展示了赖特为库勒[Cooley]住宅所作的设计（这些设计图片由瓦斯穆特发表在赖特创作全集第二卷中）。尽管如此，里特维尔德对于元素的运用超越了每一个元素本身所具有的特点，特别是在每两个元素的联结之处，形成了一种新的风格。这种联结风格被称为里特维尔德“交叉联结”，也就是所谓的“笛卡尔结”，这样的设计似乎是史无前例的。就像弗兰姆普敦[Frampton]主张的那样：“它的结构能够让里特维尔德表现一个开放的、从赖特的影响中自由释放出来的建筑结构。”

“红蓝”椅子及“巴菲特”椅子与传统椅子的骨架是相似的——或者说，那些设计图纸所展示的基本元素形态是相似的。里特维尔德在给欧德的信中把这些作品称作“充其量能够对一个人的日常工作产生一点影响”的实验与研究。他告诉范特·霍夫，没有上色的“红蓝”椅子是为自己而做的，他自己也收藏了这件作品早期的雏型（图5）。

1920年欧德在他鹿特丹斯帕恩[Spangen]的众多公寓里布置了一间寓所展厅，陈设了一些里特维尔德的实验作品。然而里特维尔德并不确定他的作品是否会在真正的客户之间流行（事实上这些作品很受欢迎）。他最终还是告诉欧德“不要把这些作品强加于任何人”。

里特维尔德常常为他的六个孩子和朋友、顾客的小孩设计玩具和家具。那些开放式鸟笼结构的高背椅、小木床和玩具钢笔都运用了他早期家具设计的方式方法，这些设计都具有一种“俏皮”的特性，类似于当时在欧洲中产阶级中流行的兼具教育性和时尚性的玩具。这些玩具符合福禄贝尔[Froebel]和蒙特梭利[Montessori]的理论（施罗德住宅在1936

47. “红蓝”椅子的标签，20世纪30年代。里特维尔德从德国作家克里斯蒂安·摩根斯坦[Christian Morgenstern]的诗歌《运动员》[Der Aesthet]中摘抄了这一段诗句，并粘在一些“红蓝”椅子的座位底下：“当我坐下的时候，我不在意/ 只是坐在让我感到舒适的地方；/ 我更喜欢让我头脑中的幻想/ 将要，坐下，造一把椅子。”

48,49. 格利特·里特维尔德，儿童高椅，1918年，收录于《风格派》（vol.2， no.9）1919年7月刊。这是《风格派》第一次收录里特维尔德的作品，他自己也通过文字介绍了作品的设计过程。玩具推车，1923年。里特维尔德的第一个玩具推车是做给欧德的儿子汉斯的。在1925年5月，里特维尔德曾向欧德询问：“最近我想做一批玩具推车，在海滩附近卖，但是我不知道应当如何制定尺寸。”

47

morgenstern

**wenn ich sitze, möchte ich nicht
sitzen, wie mein sitzfleisch möchte
sondern wie mein sätzgeist sich,
säsze er, den stuhl sich flöchte.**

48

49

年就曾为蒙特梭利的学校）。在当时的欧洲，中高产阶级的生活圈子中，为孩子们营造一个“奇特”又有意义的童年经历是一件非常普遍的事。赫伊津哈根据儿童行为学创造了一个游戏理论。他从1903年就开始完善这个理论，并于1938年发表了《游戏的人》对此进行全面分析。

也许里特维尔德就是在为孩子们设计家具和玩具的过程中开始尝试运用相似的方法与理念制作成人家具。比起为孩子们设计所遵从的“游戏”理念，里特维尔德的早期家具设计，例如“红蓝”椅子和“巴菲特”椅子，则更倾向于呈现一种奇幻的形态，从而激发成人的感官，让他们得到全身心的放松。

里特维尔德在为孩子们设计的家具和玩具中第一次使用颜色。1918年的儿童高椅应该是他第一件使用混合颜色创作的作品，这把高椅被粉刷成绿色，并用红色的带子进行装饰（图48）。独轮手推车（图49）和儿童车则是里特维尔德最早的两件以“风格派式”原色进行上色的作品。近代研究证明这些设计大概是在1923年完成（虽然历史学家通常会追溯到更早的时期）。里特维尔德可能是在同一时间为“红蓝”椅子添上颜色的，就在他开始设计施罗德住宅之前（施罗德住宅是为一个寡妇和她三个年幼的孩子建造的），这段时间也是里特维尔德最为随心所欲地运用颜色组合的时期。

人们一度以为，一直到1971年里特维尔德的继承人把“红蓝”椅子的设计版权卖给意大利卡西纳[Cassina]公司之后，这把椅子才开始被大量生产。然而，在施罗德夫人于1985年去世之后，人们在里特维尔德-施罗德档案中发现一份手绘的里特维尔德家具价格表，用蜡笔绘制的“红蓝”椅子示意图有两个版本，一个是较为便宜的，一个是较为昂贵的（图50、51）。比较便宜的版本是由Cvt 哈路纳尔[Cvt Hullenaar]公司小规模批量生产的；另一个更加昂贵的版本则是通过艺术商人何尔布朗斯[Gerbrands]进行售卖，这一版本的椅子大概是由里特维尔德的

50

51

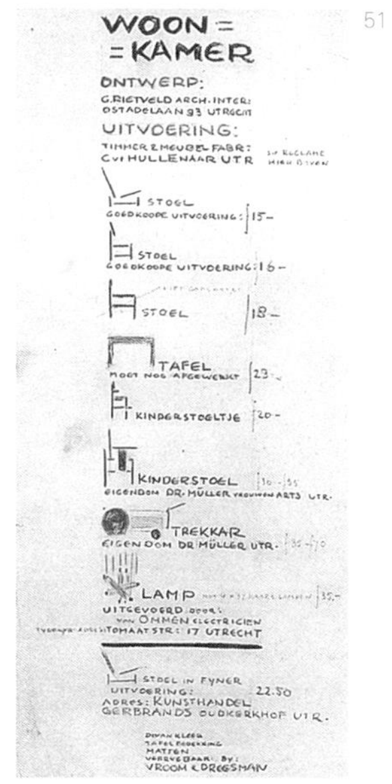

50，51. 格利特·里特维尔德，现代起居室的家具。这可能是为一次展览进行的设计。另有一张彩色价目单，约1923年。广告中写，其中的一些家具和儿童玩具“卖给了妇科大夫穆勒医生[Dr. Müller]”。里特维尔德也曾给穆勒医生的孩子们设计过一个儿童房间，并在其中布置了家具。

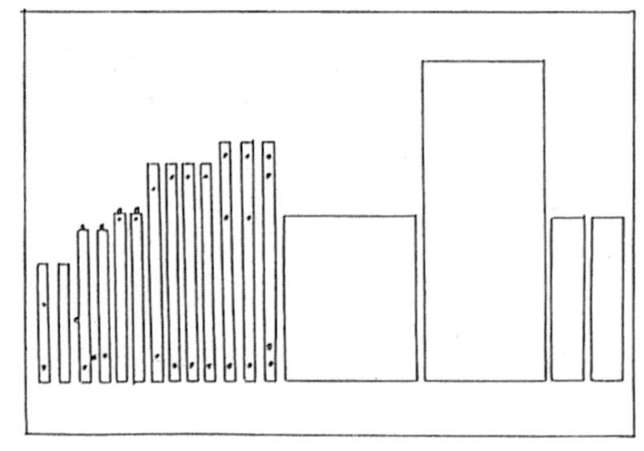

52. “红蓝”椅子的组成部分。里特维尔德将椅子的组成部分简化成一系列大小相似的木板，以进行大规模生产。

助理何拉德·凡·德·何路纳坎[Gerard van de Groenekan]在他们的工作室直接手工制造的。这与20世纪30年代“之字形”椅子的生产模式相似——都拥有小规模批量生产和手工制造两种模式。

里特维尔德同凡·德·何路纳坎制造的每一把“红蓝”椅子都是独一无二的，一直到1972年卡西纳进行批量生产后，椅子的造型与尺寸才得到统一。然而，虽然这些手制椅子的样式各异，它们的结构标准是一致的，从而使得工厂化生产方式成为可能。同样需要强调的是，由于椅子是由单个独立的元素组装而成的，这样的组装方式本身也利于工厂化生产（图52）。

里特维尔德不希望设计家具成为一件苦差事。他不想通过重复的机械加工或重复的手工劳动来完成家具设计。他认为这两种工作方式“摧毁灵魂”。在1919年7月出版的《风格派》中描写“红蓝”椅子的时候，里特维尔强调了从组装固定到修整椅子的乐趣。

里特维尔德开始设计并制造他的早期家具产品时，引入了机器切割木材的方法。这挑战了工艺制作的旧方法和传统。由于里特维尔德工作方式的灵活特性，他的设计不仅能够进行机械生产，同时也保留了手工制造的外观。

虽然里特维尔德一直都被认为是风格派家具设计师的重要代表，但是维斯、欧德和万东格洛也进行家具设计。然而，后三位设计师的设计大都产生于各自的风格派时期之后（图53—56）。随后几年，凡·杜斯伯格从未间断在杂志中介绍里特维尔德的家具作品。

为了能够有更多时间来进行室内和建筑设计，里特维尔德在1924年将自己的家具工作坊交给了凡·德·何路纳坎。虽然他并没有停止设计家具，但是他不再自己进行手工制造。1923年，他接到了为乌得勒支天主教军中服务之家[Catholic Military Home]设计一系列家具产品的委托（图57）。凡·德·何路纳坎的作坊无法完成这份委托所要求的家具数量，因此，这项工作被分配到独立的工厂进行生产（但是之后的小数量私人定制工作则均由凡·德·何路纳坎手工完成）。这些家具包括椅子、餐桌、茶几，均参照里特维尔德早期家具设计和制造的工艺模型改良而成：承重框架中的木头轨道一直延伸过接合点，但是并没有像“红蓝”椅子和“巴菲特”椅子的那么长。这一时期批量生产的军用家具，预示了20世纪20年代末到30年代初里特维尔德为梅斯百货进行批量生产和销售所做的设计。里特维尔德把这样的委托制作当作自己的日常工作，支持他在家具设计方面的实验与尝试。

在开始设计施罗德住宅之前，里特维尔德着手设计了一系列新的“实验性”家具，这些设计可以看作是对于住宅内空间与室内装置的探索。

尽管“红蓝”椅子和“巴菲特”椅子具有实验性的特点，但均保持了设计中的对称性。相比之下，“小茶几”和“柏林”椅子（因1923年柏林的无评审艺术展[Juryfrei Kunstschau]而得名）则极度不对称。里特维尔德早期的作品趋向于直线元素，空间在线间自由流动；“柏林”椅子和“小茶几”则以平面性为基础。“柏林”椅子的组装风格与施罗德住房外部设计十分相似。“小茶几”看起来像是一件抽象的

53. 杨·维斯，梳妆台，20世纪20年代早期。维斯的家具往往是非常不对称的。梳妆台的镜子后有横向及纵向的支撑，看起来就像是艺术家画架上的画布一样。他的一些家具是由阿尔克马尔的橡木及椴木（Eik en Linde）工厂生产的。

54

55

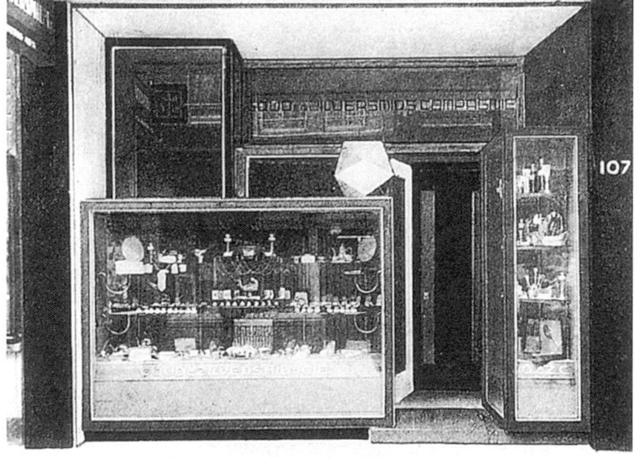

56

54. 罗伯特·范特·霍夫，家具，约1920年。这是为他在拉兰的住宅设计的，收录于《风格派》1928年的十周年纪念刊中。

55.（右上）J. J. P. 欧德，阿勒霍纳别墅[Villa Allegonda]中的家具，约1928年。这些家具来源于他于1927年在斯图加特白院聚落[Weissenhofsiedlung]中为联排住房所做的家具设计方案（见图112）。

56.（右下）格利特·里特维尔德，GZC（金银匠公司）珠宝店，位于阿姆斯特丹的卡尔福斯塔特街。范特·霍夫的橱柜是由里特维尔德制作的。后者可能曾以此作为个人设计的基础，比如此图中的商店（1921），以及施罗德住房的层叠柜子（1925）。GZC商店大玻璃窗的金属框架被涂成白色、黑色以及灰色。1923年至1924年，他使用闪亮的原色重新为这金属框架上色。

57

雕塑作品，但它具有非常高的实用性，桌子的悬臂式支架使其能够靠近椅子或者沙发。当代评论家把它所具有的“清晰建筑特点”与“日本的楼房、摩托车和打字机”进行类比。“柏林”椅子仅有三条腿，且后面的椅腿事实上就是延伸到地面的靠背。这两件家具的雕塑性和建筑性特点似乎比它们的实用性更为显著。多年后，里特维尔德曾在采访中谈到，“对于我来说，风格代表了一种建构的整体，这种整体感是我在设

57. 格利特・里特维尔德，两把“军用”椅子，1923年。椅子下面的横梁通过金属螺栓和凹槽与椅子腿相连接，里特维尔德并没有隐藏这些元素。这大概是为了便于大规模生产。
58. 格利特・里特维尔德，“柏林”椅子，1923年。这把椅子有两种样式，左撇子样式和右撇子样式，两者的扶手位置不同。椅子是黑色或黑色加灰色的。
59. 格利特・里特维尔德，“之字形”椅子，约1932—1934年。里特维尔德曾使用不同材料进行实验，包括纤维板、胶合板及铬钢等。首把硬木材质“之字形”椅子是为施罗德夫人制作的。1934年，梅斯百货曾生产了一批软木材质的“之字形”椅子。

58

59

计中首要考虑的元素。实际的应用性并不是每一次都能够与整体感完美契合，一件作品的功能性本身也并不是我最重视的，我首先要完成风格当中的构造和空间，功能性才会发生作用。”

1932年左右的“之字形”椅子可以说是里特维尔德在“红蓝”椅子之后最杰出的作品。它有一个蹲下后向上的动态，四个分离的平面被巧妙地连接在一起，从而构成了一个在结构设计上大胆且在视觉上极有流动美感的整体。这是一个极富创造力的“任性”的设计，可以看到，这一设计的理念完美地契合了凡·杜斯伯格对于流动对角线概念的见解，他把对角线描述为“人在空间里的轨迹”。（“之字”[Zig-Zag]这个词曾经在一篇字体诗《X的样子》[X-Beelden]里出现过，诗作于1920年由凡·杜斯伯格用他的达达主义笔名I. K. 波瑟特在《风格派》上发表。）

60

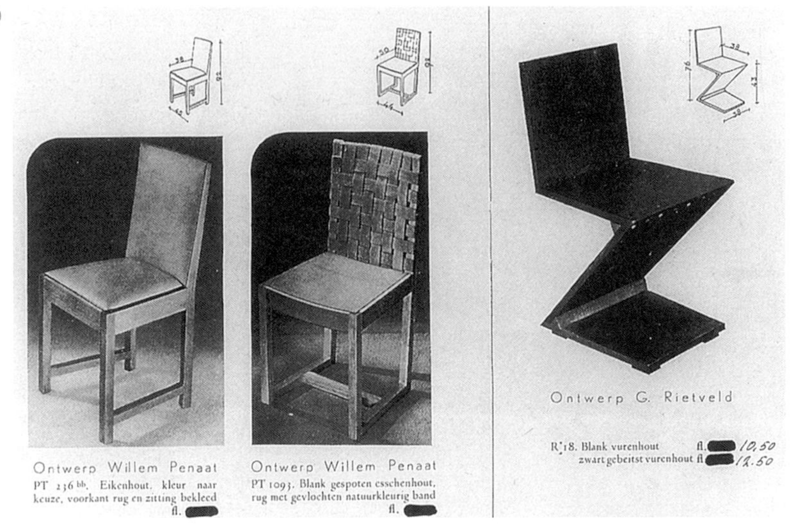

Ontwerp Willem Penaat
PT 236 bb. Eikenhout, kleur naar keuze, voorkant rug en zitting bekleed
fl.
Ontwerp Willem Penaat
PT 1093. Blank gespoten esschenhout, rug met gevlochten natuurkleurig band
fl.
Ontwerp G. Rietveld
R.18. Blank vurenhout fl. 10,50
zwart gebeitst vurenhout fl. 12.50

20世纪20年代末至30年代初，在里特维尔德的建筑和家具设计已经十分接近当时美国和欧洲所推崇的功能主义国际风格的时候，“之字形”椅子的出现再一次把他的作品与风格派美学紧密联系在一起，它代表了对于20世纪20年代末理性主义和国际主义设计风格的“离经叛道”，椅子更加趋向于一种构成的设计方式，就像他的早期作品一样，然而在理念上则更为复杂巧妙。与此同时，管状与胶合板椅子风靡欧洲（里特维尔德自己也设计了一些这样的椅子）。他不得不得出一个这样的结论：理性主义和实用主义式的椅子设计已经变成了一种陈词滥调，这样的设计必须被重新“解构”——就像他在1918年解构传统座椅而重新创造了“红蓝”椅子一样。

人们可以从凡·何路纳坎的手工作坊预定手制的硬木“之字形”椅子（一般采用榆木）。与此同时，梅斯百货也提供批量生产的软木产品（图60），这样的生产模式一直持续到20世纪50年代（卡西纳从20世纪70年代开始生产“之字形”椅子）。

61

60，61. 梅斯百货产品手册，约1935年；格利特·里特维尔德，“板条”扶手椅，1934年。“板条”扶手椅是为周末度假屋及儿童房间设计的。客户可以自行挑选扶手椅的颜色，但是这会产生额外费用。尽管梅斯百货是一间相对高端的商店，里特维尔德为其创作的大部分家具的价格都是相对低廉的，例如贝纳特的“板条”扶手椅售价就为5.95荷兰盾。

1934年，里特维尔德设计了一系列“板条”家具[Crate furniture]，这批家具由梅斯百货销售，可直接运送到客户家，并供其自行组装。这批家具选用那些制造木箱和板条箱的廉价红云杉木制成，此系列家具亦是由此得名。这批家具的木板由钢螺母和钢栓联结。“板条”扶手椅有两种版本，一种版本中还包含由凡·德·列克设计的椅垫套。“板条”系列家具还包括一把直立的椅子、一把凳子、两个茶几（其中一张茶几带有底架，可以放杂志和书籍）、一个书柜以及一张带书架的桌子。这些设计的结构连接处并没有形式上的延伸，而“里特维尔德式连结”也渐渐从里特维尔德的设计语言中消失了。然而“板条”家具的平面模板重叠交搭风格与“柏林”椅子非常相似，固定模板的方式也与他设计的那些军用家具的构成方式如出一辙。这些可以算是里特维尔德最流行的作品，不仅仅因为它们价格低廉、工艺高超，也因为组装家具的过程看起来很简单——这延续了里特维尔德一直以来所坚持的设计理念，他无疑还考虑到了购买者组装时的乐趣。20世纪50年代，里特维尔

德也为一个名为 “单人可制家具”[Furniture to Make Oneself]的展览手绘了设计图。在他去世以后，一些图纸被编制成书，以英语、荷兰语同时发行，名为《如何制作里特维尔德式家具》[*How to Make Rietveld Furniture*]。

62

第六章 | 颜色设计及合作

风格派最重要的目标之一——也是最频繁被提及的目标，是建筑师与艺术家在建筑及室内设计中的颜色应用合作。因为此类作品时效性不长，所以多数已被毁坏。然而，在风格派艺术家及建筑师的遗产于20世纪70年代及80年代进入到公众视野的时候，设计方案等历史记录逐渐公开发布。艺术家及建筑师在事业晚期往往走出自己的专业领域，给予建筑元素及颜色同等的关注。在巴黎工作室创作的蒙德里安如此，在黎明宫项目中创作的凡・杜斯伯格及从事室内设计的里特维尔德亦是如此，后者也常与施罗德夫人合作（图147、105、81、82）。

贝尔列支关于群体与个人关系的理念及关于建筑墙面的意识形态重要性的理念，激发了活跃于19世纪末的艺术家们关于"纪念碑式"艺术、壁画艺术或彩绘玻璃艺术的兴趣。此外，荷兰文化艺术圈对于拉丝金及莫里斯理念的兴趣，以及众多荷兰艺术家、建筑师的社会主义理念发展也起到了推波助澜的作用。他们青睐社区艺术或公共艺术，而不是私人委托创作项目——尽管大部分风格派接受的委托创作项目都是私人性质的。

自19世纪50年代起于荷兰发生的彩绘玻璃艺术复兴运动最初是为了应对新建天主教教堂的装饰，但是，这股潮流迅速地走出了天主教教堂，在国内创造了一种对于彩绘玻璃艺术的需求。兴盛于20世纪早期的抽象、几何风格的彩绘玻璃艺术创造了一种仍然紧密遵循加尔文主义原

62. 提奥・凡・杜斯伯格，彩绘玻璃设计，1917年。这件彩绘玻璃画是为维斯建造的圣安东尼波德教工宿舍设计的。宿舍中有五幅完全相同的彩绘玻璃画，分别放置于大堂及楼梯间。这些彩绘玻璃画中的抽象图案来源于滑雪选手的形象。

63

则的非具象装饰艺术。

风格派艺术家的初期建筑内外色彩设计合作往往包括：窗框及门框的配色设计、饰带的抽象装饰设计、窗户的彩绘玻璃画设计、地板及壁炉的瓷砖设计等（图62—65）。随着团体的野心日益增长，他们开始进行墙面配色设计——这种创作类似于风格派抽象绘画创作时所做的颜色平面及矩形“元素”设计（图66、67）。在最开始的时候，他们将大色块分布在独立的墙面上。后来，艺术家逐渐将颜色跨墙分布，“打破”了墙面界限（图76—78）。这往往造成建筑师及艺术家之间出现分歧，因为大部分建筑师并不喜欢别人强行“在视觉上破坏”或“解构”他们的建筑设计。只有凡·杜斯伯格与建筑师合作设计建筑外墙颜色。这事实上是一个更为危险的领域，他在1920年至1921年间再次为鹿特丹斯帕恩市政住房创作的“解构性”色彩方案也直接导致了他与欧德的决裂。

早在1918年，凡·杜斯伯格便开始与欧德合作，为诺德韦克豪特[Noordwijkerhout]的假日青年旅社“火花”[De Vonk]设计内外墙面的装饰性元素（图64、65）。一个慈善基金会建立了这个旅店，旨在为在莱登区域工作的年轻工厂女工提供一个临海的度假去处。基金总监艾米丽·科纳普特[Emilie Knappert]是一名有着社会主义倾向的基督徒，也

64

65

是贝尔列支的好友，后者推荐欧德为此旅店进行建筑设计工作。凡·杜斯伯格提出的建筑砖墙及地砖设计方案采用了简洁的、互相连接的几何形状。同样大小的黄色、灰色及黑色上釉砖元素为建筑外观加上了一种结构性网格，这正是凡·杜斯伯格擅长的。他时而调转或颠倒这些样式，以相同的元素及颜色制造不断变化的序列，并尝试通过这种抽象形式理念象征个人与社会的关系，类似于贝尔列支提出的“多元中的统一”。

他在通向大堂和二楼的门框上上色，以与地砖相谐调，并在门框周围、墙壁装饰线处及墙壁中部反复使用同样的三种颜色。凡·杜斯伯格也为外部木质结构及百叶窗设计了颜色，很可能是蓝色、绿色及橘黄色，以与上釉砖墙的装饰相呼应。花园的栅栏随后也以类似的颜色上色。青年旅店于1919年2月8日正式开张。

“火花”是凡·杜斯伯格在《风格派》杂志中唯一引用并讨论的

63. 提奥·凡·杜斯伯格，彩绘玻璃设计，1918—1919年。这幅彩绘玻璃画是为欧德在阿姆斯特丹斯帕恩的首个住房项目设计的。每一个公寓的正门上都有一到两个彩绘玻璃图案（见图97）。彩绘玻璃画中的抽象形象来源于船只及港口作业，这些图像是如此地抽象，以至于斯帕恩住房中的码头工人住户都不能辨认出其中的形象。

64，65. J. J. P. 欧德，“火花”假日青年旅社，诺德韦克豪特，1917年。1918年，凡·杜斯伯格设计了此建筑大厅的配色方案及地板瓷砖。他采用了10厘米商用黑色、白色及乳黄色方砖。他也设计了建筑前厅砖结构装饰的样式。

与建筑师合作的早期建筑设计。显然，他将这一设计视作是他当时最为重要的合作，而当时的评论家以及历史学家也认同这种看法。《风格派》杂志1918年11月刊中收录了建筑大堂与楼梯的图片——同期中也刊有《风格派第一宣言》，宣言着重讨论了集体价值以及合作创作实践。同一期杂志中还出现了一篇重要的论文：《论纪念碑艺术》。凡·杜斯伯格在这篇论文中写道：通过发展一种与建筑相应的“纪念碑式”绘画，“人可被置于绘画之中，而不是绘画之前，这样人就可以参与到绘画之中去。”这正是凡·杜斯伯格在讲座和艺术写作中常常描绘的绘画的终极任务——这理论来自于他对于康定斯基写作的研究。十年后，在

66

67

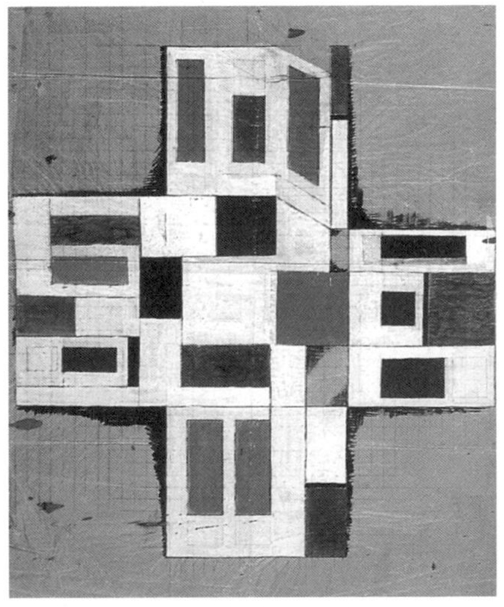

66，67. 提奥·凡·杜斯伯格，为巴·德·里特[Bart de Ligt]所做的室内设计，卡特韦克。凡·杜斯伯格通过在墙上绘制不同大小及颜色的方块，为房间带来了一种新鲜的空间特性。1919年的一幅草图表明，这些方块可能采用了蓝色、绿色、橙色、白色及黑色。1925年，他把这张曾收录于《风格派》杂志1920年11月刊的黑白图片以原色上色，并寄给了《建筑生活》杂志，以纳入后者的风格派特刊之中。

斯特拉斯堡的黎明宫中，凡・杜斯伯格更加完善了这种理论（图105、144—147）。

1918年，凡・杜斯伯格开始与欧德合作，首次为斯帕恩的市政住房进行颜色设计，并为公寓设计小型的彩绘玻璃，这些房屋现在仍然存在（图63）。这绝对是唯一一次一位重要的现代艺术家为每一幢工人阶级住房都添置上应用艺术设计品。他为窗户、下水道及门的外部木质结构制定色彩方案，而这种设计旨在打破欧德沉重的砖结构建筑的稳定性和规律性。他也为壁炉周围的砖以及建筑内部的彩色泥墙挑选了颜色。

欧德邀请凡・杜斯伯格在1920年秋为第二期住房制定色彩方案。比起之前进行的设计来说，凡・杜斯伯格此次进行的外墙面设计更加大胆，1921年，他在魏玛延续了这种风格，富含更强的“解构”意味。欧德一开始因此而感到兴奋，但后来便不再喜欢这种设计，或许因为他在鹿特丹政府住房局的上司批评了这种明亮的色彩。凡・杜斯伯格对此反应粗暴，1921年11月，他毫不妥协地声称不允许任何人改动他的设计：“要不然就是这样——要不然就什么也别想得到。”数周后，凡・杜斯伯格写信给欧德：“一个谨慎的人和一个蛮干的人永远玩不到一起去。”这次合作的苦果便是欧德不再为《风格派》杂志供稿。

1921年，凡・杜斯伯格在弗里斯地区的德拉赫滕[Drachten]小镇获得了一份委托创作工作，为一间农业学校及学校对面由科内利斯・德・博尔[Cornelis de Boer]设计的中产阶级住房进行彩绘玻璃画设计，以及室内外空间的配色设计（图68、69）。学校及住房建筑均相对传统，以红砖为主要建筑材料，有倾斜的房顶。凡・杜斯伯格曾尝试说服德・博尔将砖墙涂成白色，但是并没有成功。凡・杜斯伯格的建筑配色设计旨在为建筑添加活力——他想将街两边的建筑群通过颜色联系在一起，而不是仅在单一建筑上添加颜色。他在住房上使用了原色，在学校上使用了三种间色（紫罗兰色、橙色以及绿色）。他希望创作一种

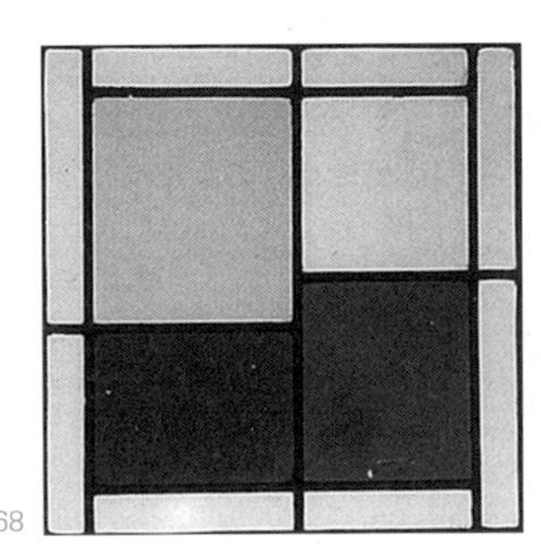
68

69

巴赫赋格曲式的“复合”效果，尽管最终学校使用的颜色或许并不是他的原意。

凡·杜斯伯格为住房室内空间制作了颇为复杂的配色设计方案。他也在咨询了园林专家阔克之后，依照一种精细着色的几何图形设计了当地的花园。凡·杜斯伯格还将自己在1919年创作的园林雕塑纳入此设计方案中，尽管我们并不确认这些雕塑是否曾出现在这些花园中，因为这些花园经历了改变（图44）。

《风格派》杂志没有提及斯帕恩及德拉赫滕的设计方案，除了1921年6月份的《风格派》杂志——这一期杂志中有一幅斯帕恩彩绘玻璃画的设计图稿。凡·杜斯伯格可能认为这些计划是失败的，或是巨大的妥协，因为使用了这些设计方案的建筑并不足够“现代”。

凡·德·列克曾在1916年至1917年间与贝尔列支共同为廓勒-缪勒[Kröller-Müller]夫人进行室内空间颜色设计工作，他觉得自己屈服于建筑师之下。他在早期《风格派》杂志的两篇文章中指出，只有在建筑师与艺术家各自领域不受侵犯的情况下，双方的合作才是可能的。他建议画家使用颜色来“摧毁”（或解构）建筑。正如我们所见，凡·杜斯伯格在凡·德·列克离开了风格派群体之后自行发展了这个想法。

70

71

1918年至1919年间，凡·德·列克为自己于拉兰的住处进行了配色设计，并得以实施；他也曾为一名匿名客户的住房进行了配色设计，但这设计很可能最终并没有实现。在很长的一段时间里，他似乎再也没有与建筑师合作过。直到20世纪30年代与里特维尔德为梅斯百货的室内空间模型进行合作设计工作（图71）。那时他也曾与皮特·厄林[Piet Elling]合作，后者是里特维尔德实验性家具的首批客户之一。他为厄林在20世纪30年代及40年代设计的国际主义住宅进行了室内配色设计，也在50年代为位于希尔弗瑟姆的法拉[Vara]广播公司进行了类似的设计工

68，69. 提奥·凡·杜斯伯格，为德拉赫滕[Drachten]中学设计的彩绘玻璃画，1922—1923年；科内利斯·德·博尔[Cornelis de Boer]设计的联排住房，德拉赫滕，弗里斯兰，1921年。此建筑由凡·杜斯伯格设计配色方案。当地人非常不喜欢凡·杜斯伯格的建筑外墙面，并在一年内以其他方案覆盖了他的设计，但人们仍然继续管这个区域叫“鹦鹉区”[papegaaienbuurt]。不过凡·杜斯伯格的设计迅速让原色在荷兰室内设计、室外设计及抽象彩绘玻璃画设计中流行起来。1988年，人们依照凡·杜斯伯格的设计重新为建筑外部上色，其中的一套住房也复原了建筑原有的室内配色。

70，71. 巴特·凡·德·列克，为梅斯百货公司设计的商标，20世纪30年代；里特维尔德为梅斯百货公司设计的挂毯、地毯及家具，收录于《家具与装潢》[*Mobilier et Décoration*]，1930年7月刊。大量宣传册及杂志刊登了他们的作品，这为梅斯百货公司20世纪30年代的“家居风格”奠定了基调。

作。尽管凡·德·列克是在离开风格派群体之后许久才进行的这些工作（他也并没有在风格派群体中待多长时间），这些设计工作是非常忠于他在风格派时期得出的设计理念的。

但是，凡·德·列克倾向于直接与商业企业进行合作，而不是与建筑师合作。他曾在20世纪20年代末至30年代为梅斯百货设计地毯、挂毯、瓷器及瓷砖，甚至设计包装袋及手提袋，他在做这些设计的时候使用了抽象图形及风格化具象图形。20世纪30年代，他为代尔夫特的一家公司设计了瓷器，为里特维尔德、欧德及包括贝纳特和W. H. 西斯本[W. H. Gispen]在内的其他设计师的家具产品设计了面料。1918年，凡·德·列克年首次设计了地毯，也在接下来为梅斯百货设计的地毯及挂毯中使用了风格派时期画作中出现的那些图案。

胡札在1919年至1921年间停止了绘画创作，集中进行室内抽象色彩设计工作。此时期的许多作品是与风格派建筑师及设计师合作的成果，他的合作者还包括克拉海默及皮特·兹瓦特[Piet Zwart]等与风格派有联系的设计师。在这段时间里，胡札最起码为十三个室内空间进行了设计工作。最终实现的设计方案只有少数，而所有这些实现了的设计也都已经不在了，其中一些方案被《风格派》杂志及其他出版物提及，另外的一些则以照片的形式保存了下来。

1919年胡札与克拉海默合作为布鲁泽尔[Bruynzeel]家族的阿赫苏法[Arendshoeve]宅邸（位于海牙附近的福尔堡[Voorburg]）设计室内空间，他曾在早些时候为这宅邸创作彩绘玻璃画。他们一同重新设计了布鲁泽尔的两个小儿子的卧室，克拉海默为这卧室设计了简单但是耐用的家具，胡札在墙面、房门以及天花板上绘制了大型的彩色方块，这些图样也出现在家具衬垫套上。

在进行此项目的时候，对称性仅体现在形式中，而不在使用的颜色中：胡札使用了蓝色、红色、黄色和黑色，并在进行颜色排列时频繁

72

73

地进行左右调转安排。这些颜色被涂在一个白色表面，采用了不同色调，而不仅仅是简单的原色。在房间中间的是一块方形地毯，深蓝色地毯的中部是一个黑色方块。在床之间是另一张反转了颜色的小型地毯（地毯周边为黑色，中心为蓝色方块）。这处室内空间在20世纪60年代早期遭到摧毁，但胡札使用的配色方案被记录了下来，海牙市立博物馆[Gemeentemuseum]也收藏了这些家具，并部分重建了这些家具的原始室内装饰面貌。

1921年，维斯为摄影师亨利·博森布鲁何[Henri Berssenbrugge]的工作室进行了结构再造及扩建工作（图74）。胡札为工作室内部设计了颜色，维斯则设计了家具：为摄影师客户准备的椅子（包括一把为了孩童而准备的高椅子），以及采用了黑斑橡木的矮桌子。在重建工作结束后，博森布鲁何开放了工作室数日供媒体参观，合作设计工作随后在许多期刊上获得了一致好评。他也在年末的时候将工作室提供给海牙艺术家圈[Haagse Kunstkring]协会，举办了一次小型展览。

72，73. 布鲁泽尔公司的展位，乌德勒支年度交易会：P. J. C. 克拉海默及巴特·凡·德·列克，1919年；魏默思·胡札，1918年。在新建立的尼德兰交易会[Nederlandsche Jaarbeurs]上，胡札将布鲁泽尔公司的展位墙面分隔成许多方块，以展示布鲁泽尔公司的镶木地板产品。1919年由克拉海默及凡·德·列克设计的展位则相对自由、轻松，用白色或亮色的细板条分隔不同的镶木地板产品。

74

75

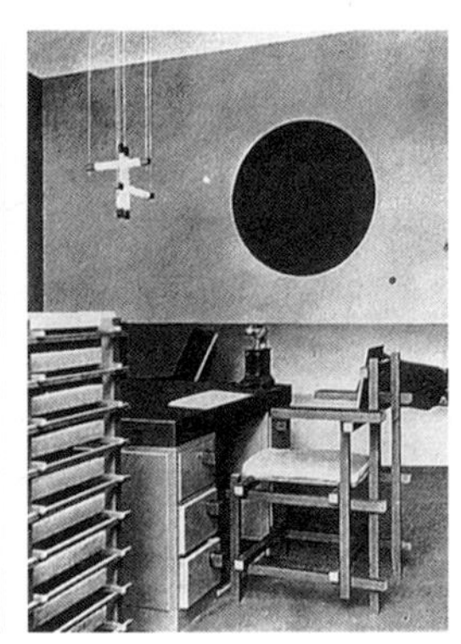

1922年，里特维尔德争取到了他早期创作生涯中最重要的一次完整室内设计委托：A. M. 哈托[A. M. Hartog]医生的诊室（图75）。这位医生在乌得勒支附近富饶的河边小镇马森[Maarssen]工作。里特维尔德自己完成了室内色彩方案，并没有选择与艺术家合作。他整合了空间，并在视觉上拉长了这空间，通过使用不同的颜色以及中性的色调把空间划分成不同的区域。墙面、地板以及天花板通过使用不同色调的灰色、白色及黑色划分成了一系列平面。保险丝箱、电灯开关及房门牌上都使用了原色。

哈托想要在一面墙上挂画，但是里特维尔德说他自己会“做点什么”，随后在那墙面的上半部分绘制了一个巨大的红色圆形，为整个房间创造出了一种有着强烈戏剧性的聚焦点。他也为房间带来了一些自行设计的实验性家具，包括一张“红蓝”椅子，两张“高背”椅，以及一

74.杨·维斯及魏默思·胡札，博森布鲁何[Berssenbrugge]摄影工作室，海牙，1921年。胡札用覆盆子红、蓝色及赭色的方块覆盖了墙面，有些色块还有灰色边缘。他还用红色、蓝色及黑色的地毯组成了灰色地面上的色块，维斯还设计了凹室、窗户及一些家具。
75. 格利特·里特维尔德，哈托医生的诊室，马森，1922年。诊室内部在第二次世界大战前夕被摧毁，现仅留存了其中的桌子。

76

77

78

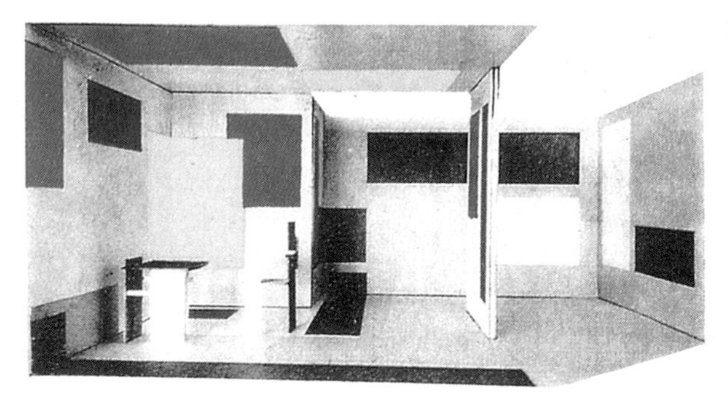

76—78. 魏默思·胡札（配色方案）及格利特·里特维尔德（家具），为展览空间设计的模型，柏林，1923年，收录于《建筑生活》杂志1924年秋季刊。此项目最终并未实现，展览中只展出了此模型。模型的颜色比杂志图片中要细腻。

个遵循了相同结构原则的文件柜。可能是出于哈托医生的坚持，里特维尔德也设计了一张看起来非常坚固但更为传统的桌子。悬挂在桌子上方的吊灯便是随后在施罗德住宅使用的吊灯的原型。这吊灯使用了四个标准飞利浦牌白炽灯管，每个灯管两端均有黑色木块。吊灯通过透明吊杆与天花板连接。

1923年，里特维尔德与胡札共同为10月份在柏林进行的无评审艺术展设计了一间房间（图76—78）。在为布鲁泽尔家族设计孩子卧室及为博森布鲁何设计工作室时，胡札都小心翼翼地将自己的创作范围限制在规矩的墙面结构上。在柏林的这次设计工作中，胡札的设计则跨过了许多墙角，或互相交叠，以带来一种令人晕眩的、“解构性的”设计效果，与里特维尔德的非对称性家具相匹配。后者在此处首次使用了“柏林”椅子的模型（图58）。

大约是在1924年，胡札被委托重新设计荷兰作家蒂尔·布鲁格曼[Til Brugman]家中的音乐室（图79、80）。布鲁格曼进行实验性“声音”诗歌写作，也因此得以与风格派群体及国际前卫艺术群体结识。在这个室内空间中，不同的位面因互相交叠而共同组成新的色调，带来了一种奇特的透明效果。此处的家具仍然由里特维尔德设计，但这一次他并没有像柏林的展览室内一般特意进行设计，而是直接使用了一些过去的实验性作品。

在1927年左右，里特维尔德在乌得勒支为一位年轻的音乐家皮特·克蒂[Piet Ketting]设计了一间音乐室（图81、82），他可能是和施罗德夫人合作完成这项工作的。此次设计是围绕一架与房间呈斜向轴线摆放的大钢琴展开的。其中的家具有一些是独立摆放的，有一些是嵌入墙内的，也是依照斜向轴线摆放的。其中包括一张矮沙发，这张矮沙发按照墙角的角度进行了切割；一张三角形的桌子，这桌子被摆放在窗台下面。房间地板上铺着有着菱形纹样的席子。这是里特维尔德首次在

79

80

81

82

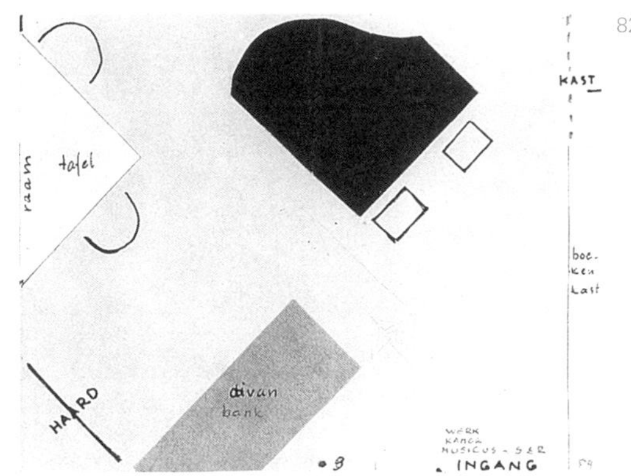

79，80. 魏默思·胡札（配色）及格利特·里特维尔德 （家具），蒂尔·布鲁格曼的音乐室，约1924年；重新设计前后的对比图。尽管这是一间音乐室（两张照片中均可见钢琴），自德国艺术家汉娜·奥克[Hannah Höch]从20世纪20年代末与布鲁格曼一同生活后，这空间便被当作工作室来使用。

81，82. 格利特·里特维尔德，为皮特·克蒂设计的音乐室，约1927年；草图及照片。草图表明了此音乐室中的原色搭配方式。矮沙发是红色的，书架（右下）是黄色的，而橱柜（右上）则是蓝色的。书桌（左上）和壁炉（左下）都是白色的，钢琴是黑色的。

83

83，84. 彼埃·蒙德里安，为伊达·比纳特室内空间设计创作的草图，1926，及在佩斯[Pace]画廊搭建的结构，纽约，1970。在纽约实现的空间结构使用了福米加材料，搭建原则来源于蒙德里安1927年发表于《i10》及《愿望》[*Vouloir*]上的文章《家庭—街道—城市》（发表时配有比纳特草图）。他写道："各种平面应当是平滑、明亮的，这能够削弱材质的沉重感。这是新造型艺术与卫生要求相符的特点之一——卫生正需要平滑的、可以轻易清洁的平面。"在纽约实现了的结构并不是完全准确的：椭圆桌子被曲解而做成了一张地毯。

室内设计中使用斜向排列方式，虽然斜向设计已经出现于他的家具设计中——比如"红蓝"椅就是如此。在此，他的灵感来源可能是凡·杜斯伯格在近期创作的绘画。然而，这种设计也另有一实际层面的原因：将大钢琴斜向摆放，是在一个矩形房间内放置这个古怪形状的乐器最经济的解决方案。另一个起着决定性作用的因素可能是房间墙角处斜向的壁炉。这个壁炉原本就在该房间内，可能也为里特维尔德使用斜向设计方案提供了灵感。

1926年，蒙德里安受邀为德国收藏家伊达·比纳特[Ida Bienert]在德累斯顿进行室内设计（图83、84）。这是他除了自己的工作室之外做过的唯一一项室内设计，但是这个室内设计方案从未实施。蒙德里安曾在书信中对欧德提及这份设计工作："如果我没有事先研究自己的工作

84

室室内空间，我不可能完成这项工作。”比纳特是一位富有企业家的妻子，那位企业家拥有一批重要的现代艺术藏品，其中包括康定斯基、克利[Klee]、夏加尔[Chagall]、马列维奇及莫霍里-纳吉[Moholy-Nagy]的作品。比纳特的女儿曾是包豪斯学院的学生，她自己也是学院院长沃尔特·格罗皮乌斯[Walter Gropius]的好友。比纳特在1925年于德累斯顿的屈尔与屈恩画廊[Kühl und Kühn Gallery]展览中看到蒙德里安的作品，随后购买了两幅他的画作，也邀请他为她位于普劳恩[Plauen]富有乡间的宅邸书房—卧室重新进行室内设计。然而，设计最终并没有实现，因为蒙德里安坚持要前往德累斯顿监督工作，而比纳特家族并不想花钱请他过来。

蒙德里安为房间绘制了四张设计图，两张是“无顶盒子”形式的平面图，另外两张是轴测投影图。后者在蒙德里安的作品中非常罕见。在绘制这些设计图时，他不得不使用他在绘画中小心翼翼尝试规避的斜向线条，而凡·杜斯伯格和凡·伊斯特伦于1923年在罗森贝格[Rosenberg]为合作建筑项目创作的图稿展示了这一点（本书第十章有关于此事的讨论）。色彩平面及不同灰度在室内空间的分布更像是蒙德里安在这段时间处理自己工作室的手法，而不像是他处理当时画作的方法。因此，众多色彩平面互相碰撞，而不是如他画中一般由黑色线条区隔开；也就像是在他的工作室一般，在这里，原色的使用方法是颇为节制的。许多色彩平面都使用了不同程度的灰色、黑色或白色。最大的色彩区域是一个红色的方块，大小和矮沙发床一样，而且也就放在这家具的上方。一位评论家将之评论为“就像是想要通过视觉刺激以阻挡休憩的可能性一样”。

受到英国“艺术与手工艺运动”[Arts and Crafts movement]及欧洲大陆“新艺术”运动影响，对于活跃于世纪之初的艺术家和收藏家来说，音乐室、工作室及宅邸是建筑师与艺术家的建筑竞赛、“理想”项目（也就是说，并不是为了最终实现而做的项目）及合作创作的主题。珠玉在前，这些影响深远的文化艺术运动奠定了风格派群体合作创作或室内空间设计的基础。

风格派群体在荷兰最终实现了的受邀创作项目之中，有许多来自工厂主、医生及建筑师的住宅设计委托，其中有一些甚至是为工人阶级“客户”进行的创作（尽管这些项目自然不是由他们委托的）：比如在“火花”度假的工人阶级女性，或是那些住进由欧德设计的斯帕恩住房的码头工人们。许多合作项目的成果都在项目完成十年内消失，或是面目全非。但在室内设计领域，这是正常的。很明显地，许多客户觉得生活在这样的室内空间之中是困难的事。只有那些最为坚定的客户，比如施罗德夫人，会根据设计后的室内空间重新建构自己的生活。然而，施罗德住宅是一个非常完整的建筑整体，我们会在下一章节仔细讨论这个案例。

85

86

85，86. 罗伯特·范特·霍夫，为J.N.弗洛普建造的平房，位于豪斯特海德，1914；亨尼[Henny]宅邸，位于豪斯特海德，设计于1914年，竣工于1919年。范特·霍夫的平房使用了强硬水平线、宽角度的板材房顶，深邃的门廊、花架及走廊，看起来就像是赖特的早期房屋设计或第一次世界大战前常见的英格兰平房——范特·霍夫曾在英格兰学习并进行建筑实践。与弗洛普平房不同的是，亨尼宅邸并没有融入周遭自然环境，而是以其人工特性与周遭环境相区别。

第七章 | 建筑

比起艺术家和建筑师们在室内设计方面的合作与交流，风格派的建筑实践发展较迟，并时而因为建筑本身繁琐的建造过程及委托状况需要作出妥协。在一战期间及战争刚刚结束的时候，尽管无法避免资金、材料和人力短缺的问题，与其他欧洲参战国家相比，荷兰境内的建筑活动是相对活跃的。然而，风格派群体的很多建筑计划事实上都仅作为设计草图与模型停留在规划阶段，部分原因是客户们对于现代主义建筑缺乏认识。

施罗德住房常常被认为是唯一一幢真正属于风格派的建筑作品，里特维尔德也通常被认为是风格派建筑师的主要代表。然而，鉴于对早期现代主义建筑的看法已经改变，我们有必要重新评估最早与风格派有联系的几位建筑师（范特·霍夫、维斯及欧德）的作品。

风格派建筑比较典型的特征在于它本身具有的不对称性、几何性和白色或是浅灰色的平屋顶。另外，这些建筑通常强调原色的运用。然而，除了施罗德住宅，其他艺术家与风格派有关的作品并非全都包含上述特征。范特·霍夫的亨尼宅邸[Henny House]于1915年到1919年在乌得勒支附近的豪斯特海德[Huis ter Heide]建造（图86）。虽然它的整体完全呈几何形状，还带有一个平屋顶，但是建筑本身采用了对称设计。维斯于1918年在武尔登[Woerden]建造的“双钥匙”咖啡厅—餐厅[De Dubbele Sleutel]运用了不对称设计，其上有一个砖砌的斜屋顶（图87）。欧德的“火花”青年旅社同样也有一个砖砌的斜屋顶，而建筑内部则运用了几何抽象的设计风格（图64、65）。

除了施罗德住宅以外，建于1919年到1921年的大恩贝格[Daal en

Berg]住宅区也许是最为接近风格派理念的建筑。此住宅区位处海牙，由维斯设计（图88、89）。凡·杜斯伯格于1922年至1923年冬就住在此住宅区的一座公寓中，而那时维斯已经与风格派没有任何联系了。在写给德·博尔的书信中，凡·杜斯伯格仍然称赞道："住在这样清新的房子里真是太令人愉悦了！……虽然对于颜色的运用还有那么点欠缺（大概这是维斯自己的主意）。我在六年前建立风格派的初衷总算成为现实，这真是令人感到高兴。"1922年12月，《风格派》五周年的特刊中还包含了三张住宅区的图片以及一张平面图。

尽管范特·霍夫的亨尼宅邸是在他与风格派进行合作之前建造的，在凡·杜斯伯格看来，这座建筑是早期风格派理念的完美体现。1914年，范特·霍夫去了美国。他在那里结识了弗兰克·劳埃德·赖特，并参观了很多由他设计的建筑。范特·霍夫由此带回了一大批关于弗兰克·劳埃德·赖特建筑设计的记录与照片。在回到欧洲之后，他接受 J. N. 弗洛普的邀请，为其父母位于豪斯特海德的房子的花园设计了一个小平房（图85）。

一年后，范特·霍夫被邀请在豪斯特海德为A.B.亨尼[A.B.Henny]（一位来自阿姆斯特丹的商人）设计一个较大的庄园（图86）。亨尼住宅采用混凝土框架。这样的处理在当时尤为罕见，更不用说用在家用住宅当中。由于承包商缺乏经验，第一次建构的住宅框架还在施工过程中发生了坍塌。1911年，贝尔列支根据托马斯·爱迪生的系统实验性地在桑特波特[Santpoort]建造了一个混凝土建筑，但范特·霍夫所设计的这个混凝土结构更加精密和完整，这样住宅就可以建造一个巨大的悬臂式屋顶和门廊。

亨尼宅邸方方正正，横向构造，风格看似简单，但是在细节设计上则极为繁复精致。这建筑就像是以现代主义的方式"解构"帕拉第奥[Palladio]的圆厅别墅[Villa Rotonda]，房屋的每一个立面都设有一个

87

露台或门廊，功能类似于现代主义建筑的山墙和凉廊。一楼朝南的那一边是非常宽敞的起居室，三面有窗。南立面有几扇镶玻璃的门，可以通往一个长方形的露台和一个巨大的门厅，从门厅上可以俯瞰正方形的游泳池。在长长的横向窗框之间朴素的竖窗框，几乎就是这个横向建筑中唯一强烈的竖向构成。房屋的室内装潢极为精致：电线和电缆都被小心地密封在一个木制的几何形式电箱中，中央供暖设备、下水道和供水管也被隐藏在墙内。

亨尼宅邸（也被称为混凝土住房[Concrete house]）也许是历史上第一座现代主义建筑。勒·柯布西耶[Le Corbusier]的近当代主义建筑施瓦布别墅[Villa Schwob]（1916）与亨尼宅邸有几分相似，但是范特·霍夫的设计则更为大胆和自信地展示了“现代性”。亨尼宅邸（两次）出现在1919年的《风格派》杂志中，胡札在他的一篇文章中将此建

87. 杨·维斯，“双钥匙”咖啡厅—餐厅，武尔登，1918年（于20世纪70年代拆毁）。凡·杜斯伯格参与了室内外配色方案的设计，并在设计中通过调整亮色与深色的关系（维洛内塞绿[Veronese green]与橙色）及黑色与白色的关系强化了窗户的不对称性。

筑与C.J.布劳[C.J.Blaauw]（他曾攻击过凡·杜斯伯格）浪漫的阿姆斯特丹学派乡间建筑进行对比。胡札认为亨尼宅邸类似于20世纪的工业产品（例如汽车），而布劳设计的建筑唤醒了一种浪漫的、如画般的建筑传统，一种“小屋[cottage]与煤油灯”式的怀旧情结。

尽管亨尼宅邸的委托人非常富有，整个建造过程也非常顺利，但房屋的设计本身还为建筑工人的舒适度进行了特别的考虑，因为它的建筑图纸和结构体系非常简洁明了——比利时建筑师哈普·霍斯特[Huib Hoste]在一篇发表在阿姆斯特丹《电讯报》[*De Telegraaf*]的文章中提到了这件事（哈普·霍斯特在当时与风格派联系密切）。而这些结论毫无疑问基于范特·霍夫自己对此的陈述，他仔细思考建筑的建造方式，以及建造工人的参与——这样的想法与里特维尔德早期家具设计的理念如出一辙（见第五章）。

范特·霍夫为《风格派》撰写了很多篇文章，他深信风格派与自己持有同样的设计理念。他不仅为杂志提供了大量经济上的资助，还帮助《风格派》征集用户。然而在1919年与凡·杜斯伯格决裂之后，他放弃了建筑设计，并于1922年在英国定居。

与范特·霍夫相似，维斯也曾经受到赖特的影响。不同的是，范特·霍夫对于赖特的“机械美学”非常感兴趣，而维斯则热衷于赖特作品中的浪漫抒情元素，因此“双钥匙”（图87）的屋顶、露台、门廊被设计成了近似于金字塔的结构，从耸立着高大烟囱的中央建筑上不对称地延伸洒落下来，烟囱是整座建筑中主要的垂直结构，平衡着建筑本身的横向动态。整座建筑由红砖砌成，中间穿插着水泥过梁和矮墙，它们与窗户和露台一起形成狭长的横向结构以分割、连接众多砖块。

与深信对称之美的欧德不一样，维斯似乎一直对于不对称性抱有兴趣。1918年10月，他为《风格派》写了一篇题为《对称性与文化》的文章。维斯在这篇文章中强调了从自然到人工制品的发展进程中对称性的消失过程。相对古典建筑中宏伟的对称风格，他认为不对称性体现了现代主义的精髓。同时，他也深信不对称性存在于人类最高的文化成就中。

维斯于1919年被委托为海牙的大恩贝格花园郊区联合住房协会[Daal en Berg Garden Suburb Co-operative Housing Association]设计68栋适于中产阶级的住宅（图88、89）。这个委托最终变成了一个市级住宅建筑项目，维斯也为那些不怎么富裕的居民设计了60栋住宅楼，这些住宅楼于1920年到1921年间建成。

这些楼房原本计划用混凝土建造，但是当地住房监管机构禁止在地基之外使用混凝土。于是，维斯选用砖作为主建筑材料，用水泥表面模拟混凝土质感。平平的屋顶和水泥的立面让人感觉住房不通人情，如今这些楼群被几十年来不断生长的绿色植被包围缠绕，才稍微显得柔软一些。建筑群的每对半独立式住宅都和后方街道成对的半独立式住宅相互错开，它们的衔接方式看起来非常紧密。从前街看起来，那些露台与凉廊加深了建筑凹凸的视觉效果。

这些住宅非常宽敞舒适，其中它有一个大厅，餐厅与厨房由一个上菜窗口连接在一起。二层有三间卧室和一间浴室。此外，这些住宅具备高规格的小型货物电梯、垃圾倾倒、大门至公寓通讯管道等功能，住宅区大门可通过遥控控制。

大恩贝格住宅区对于一战后荷兰社会住房发展有着巨大的贡献。虽然它是为中产阶级设计的，但是维斯的设计理念被欧德等建筑师借鉴，运用在为工人阶级设计的住房中。

维斯在1921年为霍林赫姆[Gorinchem]市的工人阶级设计了几栋小型住宅，这些住宅与之前的设计形成了很大的对比。这些住宅均有坡度很大的瓦片房顶以及朴素的红砖墙壁，营造了一种传统小屋式的质感。维斯在此处使用了现代的金属窗框，窗框上采用横向玻璃长条，与阿姆

88. 杨・维斯，大恩贝格住宅区，海牙，1920—1921年。

89. 皮特・兹瓦特，大恩贝格住宅区，海牙，1919—1921年，项目展示用草图。兹瓦特是维斯的制图员，他在草图中描绘了植物长成之后的场景。

90. 杨・维斯，为1928年奥运会设计的板球俱乐部，阿姆斯特丹。比起同样是由维斯设计的奥利匹克体育馆，木结构俱乐部更接近于风格派的审美原则。奥林匹克体育馆则是一座折中主义的、浪漫的建筑，融合了风格派的元素，还有来自赖特及阿姆斯特丹学派的细节。

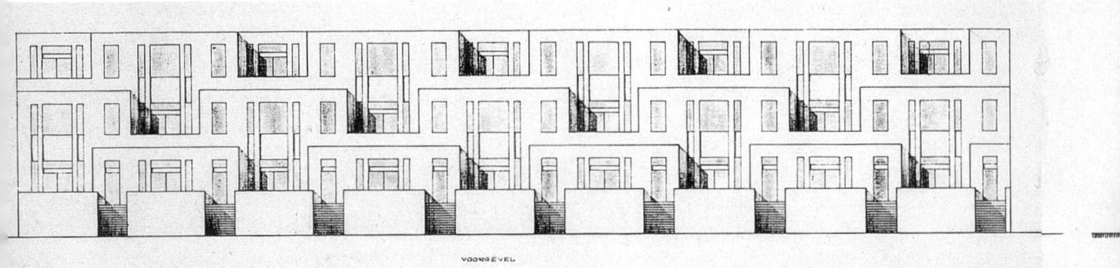

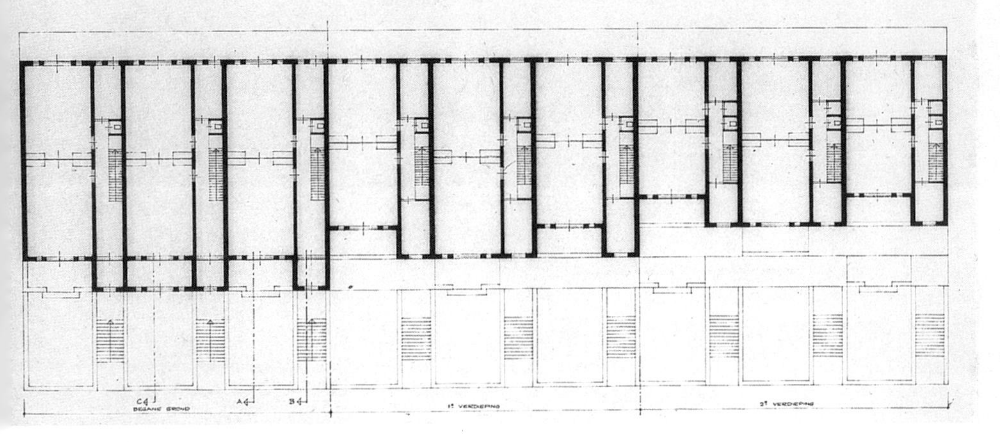

91

斯特丹派建筑风格有一丝相似。

维斯签署了发表于1918年11月《风格派》中的《风格派第一宣言》。然而，1919年初，在他与凡·杜斯伯格发生经济纠纷之后，维斯就与风格派渐行渐远了。（图90）尽管如此，大恩贝格住宅区的照片还是出现在了1923年巴黎罗森贝格的展览上（图139）。

欧德在风格派建立伊始，是凡·杜斯伯格最为亲密的合作者。正因如此，1921年，凡·杜斯伯格为欧德在鹿特丹的斯帕恩住房进行配色设计时，二人关系破裂令两人都十分难过。当欧德在市政住宅机构担任建筑师时，他尝试把自己对于个体与社会之间关系的理想观念付诸实践——这同样也是风格派其他合作者们的理想。然而，欧德在体制内的工作意味着他要做出不可避免的让步。

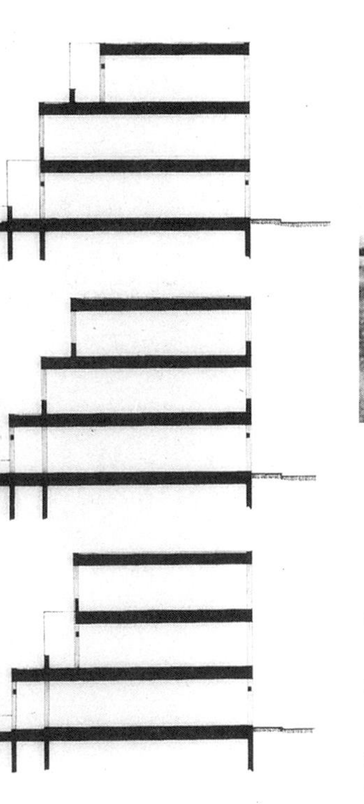

91. J. J. P. 欧德，海边住房，斯海弗宁恩，1917年。透视图，平面图及剖面图。欧德从此开始尝试设计标准化的建筑，并随后在《风格派》中进行有关此类建筑实践的讨论。

92. J. J. P. 欧德及门梭·贾麦林·欧尼斯，亚里哥达别墅重建计划，卡威克卡姆兹，1916年。重建计划包括拆除一个装饰性木质门廊及百叶窗，为建筑加上方形小塔及凉廊。

尽管欧德1917年参与的一项建筑设计使用了许多风格派元素，欧德建造的建筑大多都相对比较保守（他那些未实现的风格派设计则更为自由、激进）。1916年，他开始与艺术家门梭·贾麦林·欧尼斯[Menso Kamerlingh Onnes]一起扩建、现代化位于沿海村落、海滨度假胜地卡威克卡姆兹[Katwijk-am-zee]的亚里哥达别墅[Villa Allegonda]（图92），此别墅的所有者是欧尼斯的邻居J.E.R.特劳斯洛兹[J.E.R.Trousselot]，一位来自鹿特丹的茶商。日后，欧德把很多重建方案归功于欧尼斯，但无论这些设计到底是谁做的，它们在早期现代建筑中都占有非常重要的地位。欧德在此之前去突尼斯旅行的时候，十分着迷于北非建筑中的简洁立方形设计，尤其是它们的白色墙壁和平整的屋顶。

此后，欧德式的建筑便有了戏剧化的外观，以及质朴、简单、不对称的相连建筑。这样的设计预示了20年代末期国际风格的某些特征，同样也代表了欧德在那一时期特有的创作风格。1927年欧德再度被邀请对别墅进行现代化改造，他必须要做一些根本的改变来“更新”这座建筑。

很多由欧德参与设计的建筑作品都刊登在了早期的《风格派》中。其中最重要的作品是他于1917年为斯海弗宁恩进行的联排住房设计，以及在1918年到1922年间设计的皮尔默伦德仓库工厂建筑方案（图91、93）。这两件作品实际上都是受他家族的委托而设计的，尽管最终哪件都没有实现。

斯海弗宁恩住房[Scheveningen houses]据推测是欧德为中产阶级表兄所设计的项目。房子的草图与凡·杜斯伯格的评论一起刊登在《风格派》第一期杂志上。它展示了一系列连锁设计的房屋，采用这样的设计，这些建筑能够无限循环式地连续出现。三层楼层层堆叠，纵深连接从而形成不同的空间，有别于单调乏味的立面。这也为每一栋独立的房屋提供了属于自己的私密空间。通过这样的设计，欧德展示了如何在一个标准化设计中突出某些元素的独立性。

尽管欧德并没有进行细节化处理，这些设计草图体现了一种条形的外观，像亚里哥达别墅那样立方体式、朴质。与亚里哥达别墅不同的是，这些设计通过平坦的屋顶以及白色或灰色的水泥墙壁体现了一种对称性。在《城市的纪念碑式形象》[The Monumental Image of the City]中，欧德认为这些建筑特点适宜用来设计那些靠近海边的房子。现代主义建筑指向航海意象和地中海以及北非土著建筑，所以通常更适合沿海地区，而沿海地区正是寒冷的北方国家（如荷兰和英国）中的东方主义者和异国情调崇拜者们幻想的胜地。欧德在他1924年到1925年间设计的家庭建筑中运用了相似的指向（见第八章）（图107）。

与此同时，欧德也为“火花”进行设计工作（图64、65）。这两种设计的对比明确显示出了欧德实现和没实现的设计作品的区别。也许是因为贝尔列支向“火花”的老板推荐了欧德，欧德感到他们也希望自己至少在建筑外观设计上趋近贝尔列支式的设计风格。由于与他自己的设计理念以及他在《风格派》上发表的更为“先进”的设计创作大相径庭，最终欧德在现实中对于尖高房顶的运用受到了批判。凡·杜斯伯格认为欧德的那些设计实际上早于《风格派》的建立。欧德似乎也同意此点，那些为“火花”所做的设计也经常被认为创作于1916年，而不是1917年。然而室内则与斯海弗宁恩和亚里哥达别墅异曲同工，特别是旋转楼梯和大厅墙壁上那些戏剧性的穿孔，以及复杂交错的空间与空间本身立体中空的设计。除了严肃规整的外观，室内大厅清晰的构成和广阔的空间被强调为整座建筑的中心。欧德对于室内空间的实用性也进行了缜密的考虑：宽敞的大厅能够让人们进行社交活动，而楼梯下的宽板凳则为孩子和女人们提供了小憩阅读或做针线的空间。

施罗德住宅（1924—1925）无疑在风格派中占据了举足轻重的地位（图93—96）。1985年，施罗德夫人去世之后，整座房子几乎被还原为其原始的状态（图98）。这巩固了施罗德住宅在现代主义建筑中神话般的地位，因为建筑本身所代表的那个至关重要的瞬间似乎就这样在历史与时间中凝固了。

施罗德住宅是由里特维尔德与施罗德夫人一同设计而成的。比起雇佣者，施罗德夫人更像是里特维尔德持有不同于风格派设计理念的设计伙伴。施罗德住宅是里特维尔德完成的第一个建筑设计。施罗德夫人在丈夫去世后决定为自己和她三个年幼的孩子在乌得勒支修建一所住宅。里特维尔德在1921年曾为她的公寓设计过一个房间，由此，她邀请里特维尔德与她一同进行这座房子的设计及修建工作，所以他们之间并非传统意义上的客户与设计师之间关系。

他们唯一能找到的建造地点是位于普林斯亨得利克兰[Prins Hendriklaan]的一个红砖房区，在乌得勒支东南部近郊，一个新兴中产阶级住宅区的边缘（图93）。它最大的地理位置优势就是可以俯瞰整个村落以及村落边缘的沼泽、森林和小溪。然而飞速的城市化进程使得施罗德住宅周围的环境产生了巨大变化。到20世纪60年代末，施罗德住宅的小花园旁修建了一条高速环形公路。

施罗德住宅的第一稿设计于1923年。施罗德夫人一家于1924年末迁入新宅。1925年，室内设计装修竣工。施罗德夫人在这所房子里生活，直到95岁去世。里特维尔德自己也在1959年到1964年间住在这座房子里。房子的起居风格因不同的居住者而发生着变化。里特维尔德和施罗德夫人相信，一座建筑并不是一个固定的实体，而应该是像复写本那样可以重复书写不同的生活方式与生活观点。

施罗德夫人希望可以将房子中的大部分空间作为家庭活动区。里

93

94

95

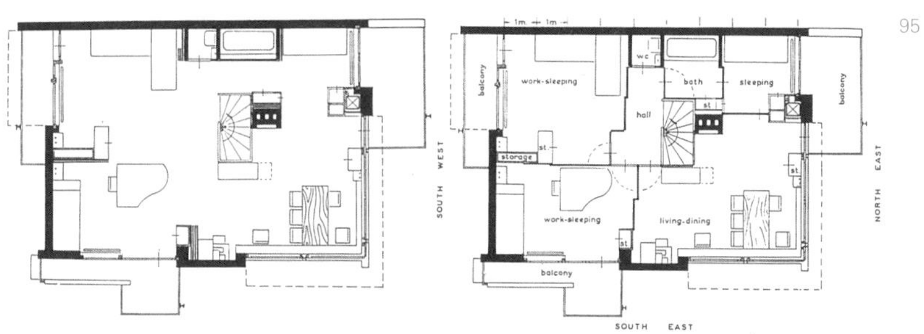

格利特·里特维尔德与特卢斯·施罗德，施罗德宅邸，1924—1925年

93-95. 建筑外部，拍摄于1925年前后（93）。内部结构，照片中的人为施罗德夫人及女儿韩[Han]（她坐在“柏林”椅子上），拍摄于1925年前后（94）。建筑一层平面图，此平面图展示了打开及收起分隔板的不同情况（95）。里特维尔德将支撑房顶的工字梁放置在偏离房间角落一英尺的位置，这样，在打开房间的大玻璃窗时，房间的角落便会“消失不见”。中部靠右的壁架是供孩子做作业用的，壁架前便是“小茶几”。

特维尔德最原始的想法是把整个高层打通成一个开放式的区域，但是施罗德夫人更倾向于拥有一个能够自由移动变换、打开关合的格局，这个空间应当兼备开放性与私密性，以更加全面地满足她与孩子们的需求（图95）。里特维尔德为此创作了一个运用滑行与开合轨道的设计，有一点像传统日本房屋中的榻榻米和推拉门。由此，上层空间可以自由变换为7种不同的格局。依照居住者的需求，既可以变成一个完全开放式的整体区域，也可以运用隔断进行空间上的自由分割。如此可变化的空间能够完全适应和满足施罗德夫人以及孩子们同样变化着的生活方式和生活格局。在孩子们长大成人离家之后，施罗德夫人自己继续在房子中生活了60余年。为了能够让高层成为一个开放式的整体，在向有关部门提供建筑图纸的时候，高层区域被描述为阁楼（zolder）来规避当地的房屋管制。由于这些隔断并不是固定不变的，它们没有必要被特意标注出来。

同样，为了避免当地的房屋管制，一层的设计需要相对传统和保守。而在实践中，这样的设计为居住者们提供了更多的选择：二层为可变换格局的空间，一层为较为传统的独立房间。在门以及隔断墙上方的玻璃板将封闭式空间里的小块私人空间连接在了一起，形成一种持续性的统一风格。天花板明显延伸出单个的房间，使得局部的个体性与整体的社会性精巧地融合在一起。

一楼著名的拐角窗（图94）将内部与外部空间巧妙地联系在一起，两个空间看起来像是融为一体的。然而与勒·柯布西耶设计的别墅不同的是，尽管房间内的空间可以随意变成开放式或关合式，整座房子仍保持了高度的个人性、私密性和家居感——不像勒·柯布西耶室内的斜坡和它双倍高的天花板，让整座房屋看起来像博物馆、仓库或是画廊那种公共场所。

里特维尔德与施罗德夫人一起从建筑平面图开始设计，“我们认为从建筑平面图着手是至关重要的，”她回忆到，“并且要找到视野最好的位置，太阳升起的位置等等。”这些问题有关于住宅中的起居活动。壁炉腔和火炉在房屋上层楼梯旁的中间位置形成了一个独立式的固定元素，这意味着施罗德住宅是一栋由传统壁炉作为固定核心的房屋（图94、98）。而施罗德夫人自己使用的卫生间、盥洗室、楼梯和她的小睡房则是房子中惟一保持私密性的区域。里特维尔德也把这样的一种房屋设计体系用到他之后的设计中。20世纪20年代末，他设计了一系列群众住房的“核心”住房雏型，住房包含一个预制单元，单元包括楼梯间、厨房、盥洗室和浴室。这些单元按照居住者的需求可以与房间进行自由组合。

建造施罗德住宅的时候，里特维尔德希望运用混凝土平板，在当时看来这是一个新的技术。这些混凝土板必须在施工现场进行制作，比起阿姆斯特丹郊外沃特格拉斯米尔[Watergrafsmeer]建造的那一片混凝土板居民住宅“混凝土村庄”[Betondorp]，这样的方法对于仅仅建造一栋房子来讲并不实惠。于是里特维尔德运用了比较传统的承重砖混杂石膏，和工字钢铁梁柱一起来支撑房顶和露台。墙壁被刷成白色和灰色，给人加强型混凝土构成的感觉。没有资料表明，里特维尔德蓄意把房子做得好像混凝土结构，然而一些早期的评论家例如格罗皮乌斯以及法国建筑评论家让·巴多维西[Jean Badovici]错把施罗德住宅描述为一栋使用加固混凝土建造的建筑。

施罗德住宅外部颜色运用较为保守，仅有支撑露台的大梁和建构巨型窗户的窗棂运用了原色。房屋内里的墙壁和一层的天花板则为灰色和乳白色，唯一的例外是组成烟囱腔的墙壁最先被涂成黄色，而后变为蓝色，以及施罗德夫人卧室的一部分墙壁曾为浅黄色。推拉隔断为灰色、白色或黑色。轨道为原色，用餐区域的大窗下方有一半设有蓝色卷帘。地板被划分成长方形、相扣的油毡，或是灰色、黑色、红色和白色

96

96. 施罗德宅邸，1924—1925年，下层书房（拍摄于1987年），这是一个小型的封闭空间，其中有内嵌式书桌及书架。施罗德夫人的儿子比讷[Binnert]曾使用这个书房，书房一直保持原样。

的毛毡（图98）。

施罗德夫人和里特维尔德在为房屋挑选颜色的时候都不愿牵扯到风格派艺术家。根据施罗德夫人的要求，里特维尔德希望能够运用一种“不那么画家式的、与建筑和色彩本身联系更紧密”的颜色。当凡·杜斯伯格听说施罗德住宅的时候，他立刻就想要参与到这个项目中来。从1924年3月的一张明信片上可知，他得知里特维尔德接受了一个“理想的委托……是真的吗？发给我关于这个项目更多的资料吧！还有照片！我猜想你会自己进行色彩设计[COLOUR]。我还没从你那里收到任何关于这方面的消息！”凡·德·列克也同样想为里特维尔德设计色彩方案，但是都被拒绝了。里特维尔德很清楚凡·德·列克关于选色的理论。比起成为建筑本身的一部分，他相信颜色应该“摧毁”建筑。然而施罗德夫人后来购买了一幅凡·德·列克的画作，这幅画成为施罗德住宅中唯一一件风格派艺术家的作品。

施罗德住宅实际上非常小，不比一栋半独立的乡村别墅大多少。住宅的每一寸空间都设计精巧，又多功能。房屋内很多省力装置和内置设施也许来自施罗德夫人的精巧设计。每一个能被隔板隔开的独立的房间或区域都设有一张床，一个盥洗池和一个可以用来做饭的煤气引入点。所以，如果需要的话，这些独立的房间可以做到完全的自给自足。

内置家具是由凡·德·何路纳坎在施罗德夫人和孩子们入住后制作的。与里特维尔德实验家具的理念一样，这些家具大多都具有一种滑稽的趣味，像玩具一样。这是考虑到施罗德家中三个正在成长的孩子。这些家具还特别选用相对较廉价、简单的材料制造而成，因为施罗德夫人想要尽量避免那些显示社会地位的奢华昂贵的家具风格。

1925年8月，凡·杜斯伯格写信给西萨·多米拉，一个与风格派开始合作不久的艺术家。在这封信里，凡·杜斯伯格附上了一张施罗德住宅的照片，并把它形容为风格派“最新理论的完美应用”。凡·杜斯伯格对于风格派建筑的最新想法发表于1924年的《风格派》杂志，题为“论塑形建筑”[Tot een Beeldende Architectuur]，而这些想法看起来与施罗德住宅的风格及构成理论如出一辙。他这样写道，新的建筑来自“对实际需求的谨慎抉择，建筑图纸包含了这些实际需求……它推倒了墙壁，来消除内部与外部的分离……整个建筑包括一个大的、宽敞的空间，而这个空间又能够根据所需而进行不同划分……那些划分空间的（平面）是可移动的，也就是说这些独立的平面（原来为墙壁）可以被移动的屏风或厚板（包括门）所替代……”新建筑应该是“‘反立方的’……它没有企图把诸多不同的功能空间合并为一个封闭的立方空间，而是计划将这些功能空间（以及悬挂平面、阳台等）离心分布……”如此，对于凡·杜斯伯格来讲，这样的建筑“如翱翔在空中”，挑战了地心引力。谈到对称，新建筑宣扬一种“不平等元素间的平衡关系”，这里的“不平等元素”指的是那些由于功能需要而在形态、大小、材质上区别于其他设计部分的元素。它同样避免了正面律那种“死板的、停滞的生活风格”，而推崇一座建筑各个立面的独特性。最后，凡·杜斯伯格写道，新建筑的用色应当是自然生成的，“作为一种对于空间、时间关系的表现”，因为“倘若没有颜色的话，这之间的关系则缺乏生活现实，这些关系就不可见了。只有通过对颜色的运用，建筑关系的平衡点才能够成为可见的现实。”对于建筑来讲，颜色“不是一个装饰性的部分，它是建筑本身的一种表现形式”。

凡·杜斯伯格的宣言根据他的色彩手稿及与凡·伊斯特伦为罗森贝格的展览制作模型的经验写成（图138、139）。宣言中的很多观点都反映了这两个人在合作中对“理想”建筑的思考。施罗德住宅的设计在很多方面都与两人一起为罗森贝格展览设计的作品其理念相契合（里特维尔德制作了其中的一个模型，而且无疑从照片和手稿当中看到了其他模型）。但是它们并没有（或者说不可能）成为现实的“理想”建筑，而施罗德住宅成为了现实。

凡·杜斯伯格发表这篇文章的时候施罗德住宅仍处于建造之中，施罗德夫人与里特维尔德不太可能在它发表之前读到凡·杜斯伯格的文章，凡·杜斯伯格也不可能在住宅建造过程中就知道它会建成怎样（从他给里特维尔德写的明信片中就可以看出，见上）。这样看来，施罗德夫人和里特维尔德近乎完美地将凡·杜斯伯格同期的理论付诸于实践了。

因此施罗德住宅从某方面来说包含了“风格派最新理论”，但同时它又具有本身独立发展而出的设计理念。

97

97. J. J. P. 欧德，斯帕恩1号住房[Spangen Block Ⅰ]，1919年。尽管从外部看来每一间公寓都不是分离的，其实欧德设计了独立的临街正门，正门上方则是彩绘玻璃（见图63）。

第八章 | 社会住房及国际风格

尽管里特维尔德、维斯及凡·伊斯特伦都曾参与为工人阶级或中低产阶级设计低成本住房的工作，风格派的建筑理念主要是通过欧德的作品才得以与社会住房联系起来。《风格派》杂志首次发行后不久，欧德便于1918年1月在鹿特丹住房局[Rotterdam Housing Authority]谋得一个建筑师职位。贝尔列支推荐了他，对于一名默默无闻的年仅二十八岁的年轻建筑师来说，这是非常重要、责任重大的职位。但是他从未担任过鹿特丹的“城市建筑师”，尽管人们常有这种误解。

尽管在20世纪的首个15年内鹿特丹人口增长超过50%，该城市在为工人阶级建设低租金住房方面远落后于包括阿姆斯特丹在内的其他荷兰城市。鹿特丹住房局因此在1916年得以建立，以组织、设计、建设并管理由政府提供补贴的公共住房，这些住房能够满足基本生活需求，缓解工人阶级家庭无法承担市场价格住房或由住房协会提供的房产的状况。

在1917年末收录于《风格派》第1期杂志的文章《城市的纪念碑式形象》中，欧德阐述了自己的住房设计理念。他提出，不应当继续在城市中建设独立的私人宅邸，而是应当使用钢铁和水泥等现代建筑材料建设大量住宅楼。理想的情况是，这些建筑将围绕着庭院或广场建立以提供社区公共空间、足够的清新空气和良好的空气流通条件。在荷兰住房局工作的第一年，欧德就尝试在斯帕恩及图森戴根[Tussendijken]的新建区域中将这些理念付诸实践。

1918年至1920年，欧德在斯帕恩的第一个社会住房项目中使用了倾斜房顶（图97），而随后于1919年至1921年间的斯帕恩社会住房项目则混用了平房顶和斜房顶。1921年至1924年，欧德在图森戴根进行

98

98. 施罗德住宅，1924—1925年。宅邸在1985年至1987年被修复。照片中可见，可移动的墙面半开着，墙边的便是“红蓝”椅子（图中间偏左）。

99. J. J. P. 欧德，社区管理员的临时小屋，欧德马特尼萨[Oud Mathenesse]住宅区，鹿特丹，1923年。立视图、透视图及平面图。

100. J. J. P. 欧德，乌涅咖啡馆，卡兰德布雷[Calendplein]，鹿特丹，收录于《建筑生活》杂志1925年秋季刊。建筑外部：草图及平面图。原建筑计划在两栋19世纪的建筑之间的空隙处建造一个只存在10年的咖啡馆，但咖啡馆运营了15年时间，直到1940年的轰炸摧毁了它。1985年，此建筑在不远处得以重建（见图155）。

99

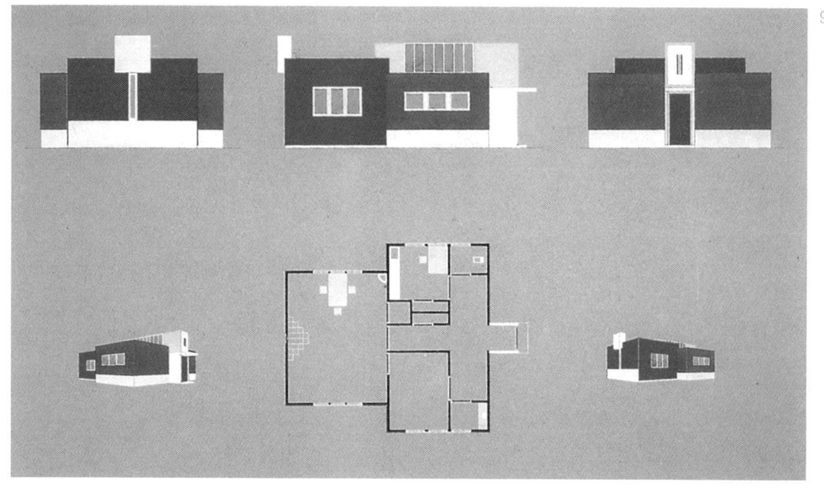

100

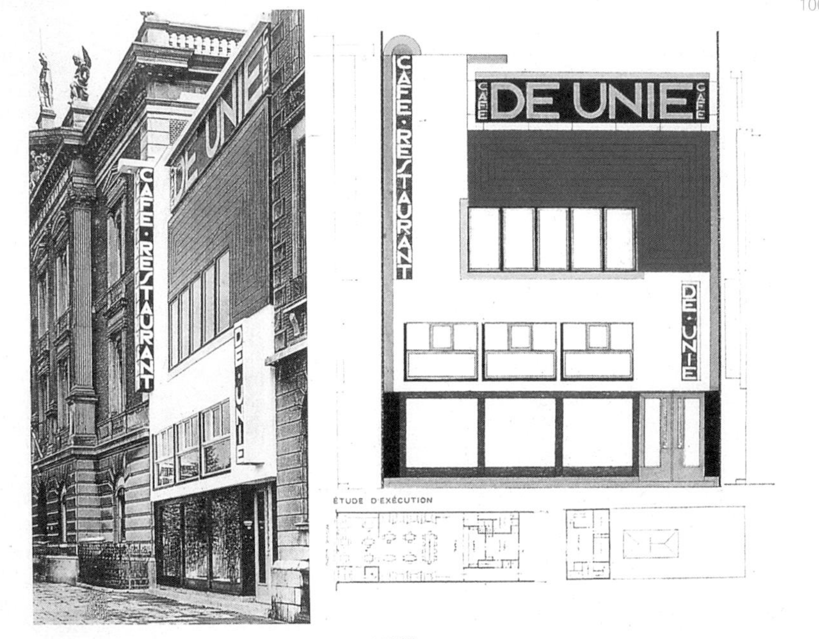
CAFÉ · RESTAURANT
DE UNIE
CAFÉ
DE · UNIE
ÉTUDE D'EXÉCUTION
J. J. P. OUD
CAFÉ-RESTAURANT A ROTTERDAM (PAYS-BAS) 1925
L'ARCHITECTURE VIVANTE
AUTOMNE M CM XXV
ÉDITIONS ALBERT MORANCÉ
24

的最后一个大型住房项目则仅使用了平房顶（图101）。这些住宅楼的风格相对朴素。与同时期阿姆斯特丹学派在阿姆斯特丹郊区为工人阶级建造的房屋相对比，欧德的建筑外观平淡无奇。然而，欧德提供了一种低调而较人性化的住房问题解决方案，将独立元素与整体紧密联系：门窗与建筑立面相联系，独立生活区域与整栋住宅楼相联系，个人与社区相联系。通过强调街道、建筑立面以及建筑与整个城市的连贯性，他将这些建筑变成与整个城市公共社区特性相和谐的要素之一，超越了街区的限制，体现了贝尔列支提出的“多元中的统一”或“多样性中的统一”原则。

欧德在1924年发表在《鹿特丹年鉴》[*Rotterdamsch Jaarboekje*]的一篇文章中写道，在斯帕恩与图森戴根，他尝试表现城市的重要节奏与逃避节奏的需求之间的对比。他宣称，在城市中生活的人们必须要找到逃离勤奋的方法，要保护自身不受那“让城市得以成为城市”的进程影

101

102

响。“这些住房建筑设计的前提，就是我尝试以实际及美学语言表达这种理念的愿望。街道即是工业，内院即是生活。”

欧德随后进行的住房项目[包括荷兰角住房项目以及克夫霍克住宅项目（图107、108）]为每个家庭提供了独立的房屋。但在建筑外观方面则非常现代，这些建筑尝试为集体价值与个人需求及愿景搭建桥梁。欧德可能认为：这些建筑也符合其有关建筑的“纪念碑性”理念。这种“纪念碑性”与大小无关，它也可以体现在小规模的建筑之中，或是几层楼高的大规模住房建筑之中。

欧德的官方职位让他与风格派群体的关系变得复杂、艰难，而他本人也因此受到制约。他在1920年与凡·杜斯伯格的通信中写道：“在现代城市，我们只能在孤立的建筑物中达到纯粹。众多事实意味着一种不纯粹但必要的解决方案。”凡·杜斯伯格知道这位在公共机构制造“社会住房”的建筑师需要面对的困难。他在1919年12月18日给欧德

101. J. J. P. 欧德，住宅大楼，图森戴根，鹿特丹，1921年（于1940年摧毁）。此建筑大楼围绕内部的庭院建立，其中有公共区域及私人花园。五幢住宅大楼于1921年竣工，另有一座更大的八角形建筑于1924年竣工。

102. J. J. P. 欧德为卡伦巴赫[Kallenbach]住房项目创作的设计图，柏林，1922，收录于《建筑生活》杂志1924年夏季刊，透视图。

103

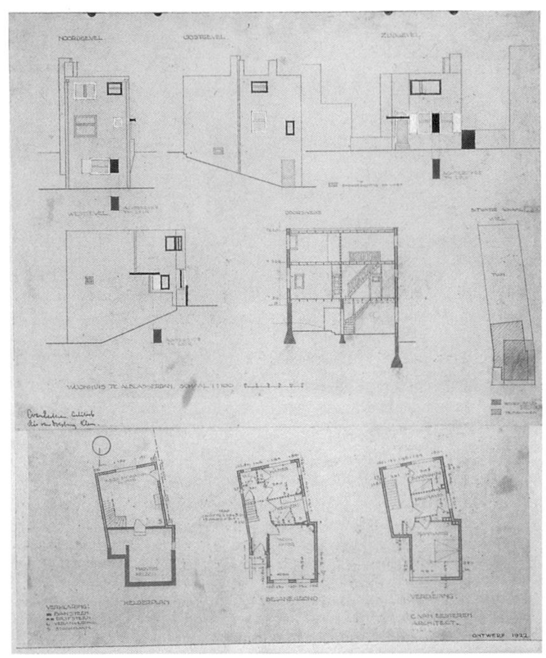

103. 康内利斯·凡·伊斯特伦，住宅，阿尔布拉瑟丹[Ablasserdam]，1924年。立视图，剖面图及平面图。这是他的首个得以实施的建筑设计，凡·杜斯伯格为此建筑设计了配色方案。

104

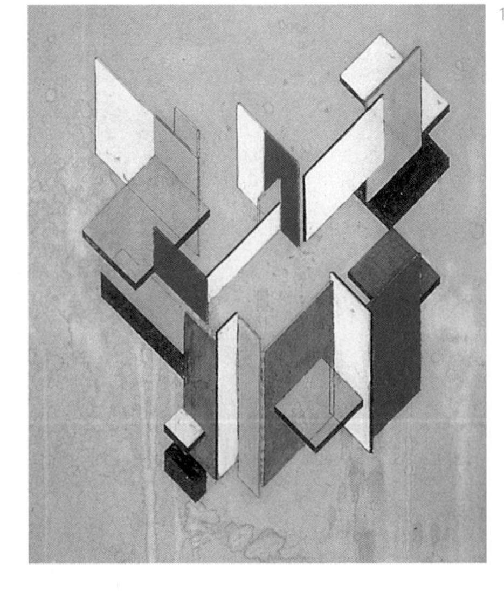

104. 提奥·凡·杜斯伯格，为“私人住所”创作的草图，1923年。这些彩色草图与凡·伊斯特伦的最初设计方案关系不大。

105. 提奥·凡·杜斯伯格，黎明宫咖啡馆，斯特拉斯堡，大舞厅地面及墙面配色方案。这张草图及另一张相关草图应当是在建筑装潢完毕后绘制的，因此应当是最为准确地反映了配色方案的草图。在早期草图中，配色更浅。留存下来的黑白图片似乎证明了配色方案中使用的颜色是更为饱满的（见图145）。

105

的信中写道，他的首批斯帕恩住房“事实上是非常好的，如果我们将你面对的状况考虑进去的话”，并提议在《风格派》杂志中加入这些建筑的图片。但事实上这些建筑的图片从未出现在《风格派》杂志中。

图森戴根住房事实上是欧德在鹿特丹进行的大型住房建设项目中最为朴素、标准化的，也为其带来了广泛的关注（图101）。德国的众多建筑杂志尤其关注该项目，但就像是斯帕恩住房项目一样，这些建筑也从未在《风格派》杂志中出现。欧德在荷兰建筑界及评论界的朋友们一般不太热衷于他的住房项目。“看看他做的那些住房吧，”1922年，建筑师、评论家杨·哈达马[Jan Gratama]写道，“这建筑死一般的单调让人敬而远之。”但欧德的伙伴、前风格派成员维斯则捍卫了他的社区住房设计，称其为“整齐的”“精细规划的”，并赞美了“欧德在创造伟大立面时的清醒及人性化”。

1921年，欧德从被他称作“永久劳动着的工人的住房”的设计工作转移到为一所德国中产阶级别墅进行设计工作（图102）。这份委托设计工作是由匈牙利艺术家、设计师拉兹洛·莫霍利-纳吉[László Moholy-Nagy]介绍的，欧德在德国当地也已颇具名声。对于他来说，这一定是一个让人高兴的转变。尽管这为柏林郊区豪华别墅进行的设计工作就像是欧德早期为斯海弗宁恩及皮尔默伦德做的设计工作一样从未实现，他的确从中得到了灵感，而这些灵感对其后期在鹿特丹住房局的工作有所裨益。即：使用涂了白色涂料的墙面（或钢筋混凝土），而不是使用“肮脏单调的砖墙”；这也为欧德带来为每一个工人阶级家庭建立独立、带花园的住房的可能性，而不仅是将他们安置在集体公寓楼里。尽管这种独立住房的规格很小，但是这种住房样式的确接近于当时欧洲建筑师们设计的中产阶级住房或别墅。欧德也关注荷兰国内中产阶级标准化住房的各种实验性设计，包括维斯在海牙设计的大恩贝格住宅。

鹿特丹城市规划预留了欧德马特尼萨低田[polder]一角（临近斯帕

恩住房计划附近的运河西岸），以建造一个小型花园。在20世纪20年代早期的住房建设财政危机中，这一小块地改为临时住房用地，为因内城的贫民窟清理活动而被迫搬走的赤贫家庭提供住房。欧德在1922年接受委托为此临时住房进行设计工作（图106）。他严谨地以“社会管理”的角度来考虑于此处建设的独立住房。厨房故意设计得窄小（欧德后期住宅设计中的厨房也是如此），这样，人们便不能把厨房当作起居室来使用。在当时倡导健康、卫生、清新空气的住房政策理念下，这一做法被视作是不卫生、反社会的。尽管房子非常小，这些住房中有足够数量的卧室（阁楼里也有卧室），以鼓励成人与孩子分开睡，不同性别的孩子也分开睡。

106

106. J. J. P. 欧德，欧德马特尼萨住宅区，鹿特丹，1924年。住宅区规划包括谨慎的树木种植计划等，这些植物的成长过程也为住宅区带来了新的色彩及空间维度。每一栋房子都带有独立小花园或后院。

欧德在此首次使用了白漆墙，上有传统斜红砖屋顶，以创造一种和谐的、标准化的住房类型，这种房屋能以不同的组合方式重复建造，以创造一种能够体现“多元中的统一”理念的小型社区。门窗上使用了黄色和蓝色，以与红色屋顶和白墙造成色彩上的反差效果。凡·杜斯伯格在1924年11月11日写信给欧德，提到了他们关于斯帕恩住房配色方案的分歧：“尽管你声称想要在建筑上剥离颜色（尽管我可能不接受这个想法，但是我能够理解），你现在却把门涂成蓝色的，窗户涂成黄色的，等等。”

此地以“白村[Witte Dorp]”之名为人所知，而当地媒体及外国媒体均对此设计给予了高度的评价，德国和美国媒体尤其青睐此建筑设

107

107. J. J. P. 欧德，荷兰角住宅计划，1924年。相比于欧德在鹿特丹进行的住宅设计来说，欧德在荷兰角进行的住房设计计划与他在1917年创作的斯海弗宁恩广场设计方案更相似。此处的住房设计是标准化住房的范例：联排住房可以无限延伸，或以数排的形式再造。平滑的建筑线条和有着非比寻常弧线形状的店面让人想起邮轮，而这一航海意象对于这个小型港口来说再合适不过。

计。《鹿特丹日报》[*Het Dagblad van Rotterdam*]称其“就像乡村般的如画美景”。事实上，这些建筑的白墙让人想起海岸线附近受海风和海盐影响的渔村，而不是什么乡村景致。欧德在接下来的项目——荷兰角的工人阶级住房建设项目（图107）中，也再次发展了这种住房形象，而此处原本的确是一个渔村。

因欧德马特尼萨住房项目仅使用了半永久性建筑材料及临时建筑的搭建方案，这些住房在建成之后损毁严重。二战后，人们给这些住房添上现代化设施，使得其实际使用寿命远远超过了最初限定的25年时间。在多次尝试修补下沉的地基后，鹿特丹市政府最终在20世纪80年代宣布这些建筑不安全，尽管人们极力主张保留这些建筑。

社区管理者的小屋（图99）原是在建立住房时使用的。在那个时候，凡·杜斯伯格批评此小型建筑上的半同心刻纹（1925年，欧德在鹿特丹的乌涅咖啡馆立面上也使用了这种刻纹式样）是“装饰性的”，并想要在1925年《建筑生活》杂志的风格派特刊中除掉这图案。蒙德里安也不喜欢这间小屋，可能是因为他觉得它过于对称了，尽管这一点在记录照片里并不明显。无论如何，因其雕塑性（至少从特定角度看来如此），这一小型临时建筑被现代艺术史视作是风格派建筑的重要成就。

经由鹿特丹住房局牵线，欧德接受了乌涅咖啡馆的委托设计工作（图100）。这间咖啡馆坐落于库尔辛格街[Coolsingel]尽头的卡兰德布雷，在20世纪40年代前，此处便是鹿特丹的市中心（凡·杜斯伯格在两年后负责设计的黎明宫项目也同样坐落于斯特拉斯堡的市中心）。尽管这间咖啡馆被称作是一幅立体的蒙德里安画作，它的设计事实上更接近1921年后《风格派》杂志封面标题的新字体排版风格。尽管经常被认为是无价值的“立面建筑”，咖啡馆实际上是三维的平面设计，通过显眼的配色及字体吸引路过的行人，吸引他们从街对面走过来，透过宽大的玻璃窗往里瞧，再进入其中。

108

欧德主持的鹿特丹南部克夫霍克住房计划于1925年完成设计，1930年竣工（图108—110）。这些联排房屋是为赤贫工人阶级的大家庭（有6个孩子）设计的，其中有三个卧室。这些住房仅能满足最基本的居住需求，建筑成本为2400荷兰盾，即当时的213英镑。这是1923年阿姆斯特丹“混凝土村庄”水泥联排住房项目成本的一半，是施罗德住宅成本的四分之一——作为一次性的、由建筑师设计的中产阶级宅邸，施罗德住宅的成本已经是非常低廉的了。

欧德曾希望在此使用混凝土材料，就像在荷兰角住房项目所采用的一样，但这种材料比砖更昂贵。他的早期克夫霍克住房设计（经常错误地被当作是最终实施方案）包括煤库、厨房和起居室之间的上菜窗口、内嵌式熨衣板、楼梯下的淋浴间、楼上的自来水系统等。为了缩减成本，这些设计最终都被放弃了。然而，每一栋独立的房子都有一个后

109

110

花园，让人有私属感。欧德尝试调和入住居民的愿望和住房建设部门的规划：居民想要独立的、带花园的住房；而住房建设部门则想要推动都市化进程，并重新在一个有秩序的、受规划的社区中引入“家庭观念”以“教化”工人阶级中“最贫穷的那部分人”。

处于鹿特丹南部、被同期住房区域环绕的克夫霍克的地理状况与孤立的欧德马特尼萨非常不同。但是，住房规划的乡村特性及住宅区提供的封闭感及安全感（住宅区内部却又很开阔）将这一区域与周遭区域及其他住宅区分隔开。

就像在欧德马特尼萨（它为克夫霍克住房计划提供了许多设计原型）一样，住宅内的所有房间都非常狭小：前厅窄小，以为房子正前部的起居室腾出空间。前厅与起居室相对独立，其中有挂衣钩及为煤气表、水表与电表预留的空间。“这样，市政人员便不需要闯入起居

108–110. J. J. P. 欧德，克夫霍克住宅区及教堂，鹿特丹，1925—1930年。历史照片（左）及现代照片记录。就像在荷兰角一样，欧德的初步草稿比最终的成品更接近风格派的形式理念，这或许是因为建筑成本的原因。小街道边上的大家庭住房中可轻易辨认出许多风格派元素（见图110）——其中的许多卧室事实上就像是一间间牢房。教堂中（见图109）也有许多风格派的设计元素，正门右手边的大体积结构让人想起皮尔默伦德工厂的不对称设计（见图3）。

室，”欧德说，“既然每一栋房子都必须是一样的，住房的建筑结构必须保持一致，这些住房的个体特性就只能通过空间比例及配色设计体现。”20世纪30年代，这些住房被恢复至其原本的配色方案：白色的墙、蛋黄色的窗户以及樱桃红色的门，而圆形的商店门面（这些比起在荷兰角的那些来说没有那么夸张）则是绿色的。

1929年，克夫霍克作为“基本生活需求”[Existenzminimum]的典范，在第二届法兰克福CIAM协会上展出。这一概念是20世纪20年代末期荷兰及德国社会住房大力赞扬的风格：以最低廉的成本提供最好的住房条件。欧德也在1931年于艺术设计杂志——《工作室》中向母语为英语的公众展现了这一住房规划成果，他的文章名为“213英镑的住房：鹿特丹最底层人民住房安置问题的解决方案。”

欧德于1929年设计了克夫霍克的新使徒教堂[New Apostolic Church]，没有收取设计费用（图109）。其中的唯一一个装饰性元素是由胡札设计的彩绘玻璃画。美国建筑史学家亨利-拉塞尔·希区考克[Henry-Russell Hitchcock]在其发表于1931年的关于欧德创作的短篇专著中称此建筑为“最美丽的现代建筑作品之一”。对于其他评论家来说，这建筑过于平淡、无特点，与其说是一间教堂，不如说是一个工厂。在弗兰克·叶布里[Frank Yerbury]的论著《现代荷兰建筑》[*Modern Dutch Buildings*]（1931）中，对此建筑的介绍是“议事厅”。20世纪50年代，希区考克也改变了自己的态度，他写道：“主礼堂太像一个盒子了，以至于人们只能通过建筑的规模在一群住房中分辨出这间教堂来。建筑外墙并没有任何指向其独特功能性的特色——它看起来就像是个车库。”教堂是住宅区的中心点，但同时也需要在视觉上与其他住宅分隔开来。建筑形状的灵感来源于传统乡间，但看起来像是一个工厂、车库或是议事厅，也传达了有关工作及集体性的都市性理念。这建筑因此也将此住宅区捋入了当时在荷兰建筑界兴起的乡村-都

111 

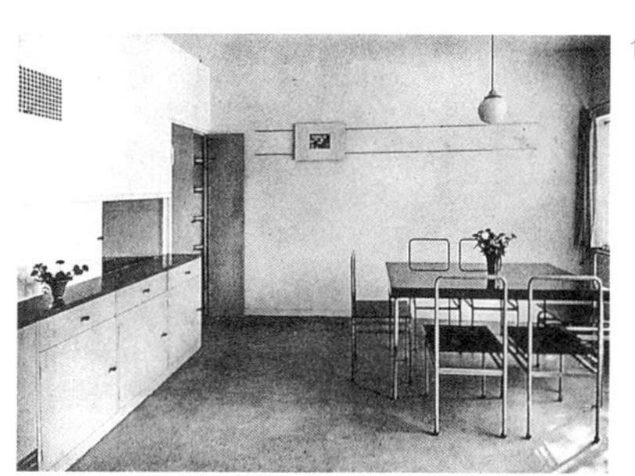 112

市对话之中。

1927年夏，欧德被要求为斯图加特举办的国际建筑展览——“白院聚落”住房项目提供一个五联栋标准工人住房的设计方案（图111、112）。马特·斯坦姆是除欧德之外唯一一位参与展览的荷兰建筑师。在鹿特丹住房局工作了10年之后，欧德正处于事业最高峰。他可能是同年代荷兰建筑师中在国外最负盛名的一位，但他在国内的声望远不及此。在参与设计的建筑师之中，欧德几乎是唯一一位严谨遵循设计要求（低成本的结实工人住房）的设计师。其他所有设计方案（包括勒·柯布西耶的设计方案）都非常豪华。相比于他过往在鹿特丹进行的住房设计来说，欧德为此住房内厨房空间做的设计一应俱全：嵌入式橱柜、标准高度食材准备台、水池和晾干台。欧德与恩娜·迈耶[Erna Meyer]共同完成了这些工作，后者曾在魏玛上过凡·杜斯伯格关于风格派的课程（见第九章），也曾在1926年出版关于良好家居生活的畅销指南手册：《新家居生活——经济家居管理指南》[*Der Neue Haushalt*,

111，112. J. J. P. 欧德，联排住房，白院聚落展览，斯图加特，1927年。历史照片：起居室，收录于《建筑生活》杂志1928年春季刊。与克夫霍克住房不同的是，此处住房的二楼有自来水供应及淋浴设施。因德国“新厨房”运动的号召，此处也有一个单独的洗衣间。厨房和起居室之间的其中一个上菜窗口有镜面玻璃门，镜面玻璃可调整角度，以供家庭主妇留意起居室里的情况，或是在花园中玩耍的孩子们的情况。

113. J. J. P. 欧德，布雷多普[Blijdorp]住房，鹿特丹，1931年（未实现项目），透视图。布雷多普住房是一个庞大的工人阶级住房项目，尽管欧德的草图中有一名时髦的女性凝视着修剪整齐的公园。

ein Wegweizer zu Wirtschaftlicher Hausführung]。这本畅销书曾在1年内再版30次。两人此次共同设计的厨房成为20世纪20年代后期德国标准化现代厨房大讨论的主要导火索。（格利塔·休特-里霍兹基[Greta Schütte-Lihotzky]在1926年为恩斯特·梅[Ernst May]的标准市政住房设计了著名的“法兰克福厨房”。）欧德和迈耶着重关注了家庭主妇的意见。的确，欧德曾在《i10》发表了一篇名为《家庭主妇与建筑师》的文章，随后他就在家庭主妇职业协会提议下为“白院聚落”建造功能性住房。

“国际风格”一词诞生于白院聚落，尽管国际主义作为一个现代建筑议题早在20世纪20年代中期便已被提出，而格罗皮乌斯的《国际建筑》已在1925年出版。矛盾的是，尽管国际风格有一种国际主义倾向，每一个国家都做了自己的区域性改良，尤其在荷兰。荷兰的国际风格被称为“新大楼风格”[Nieuwe Bouwen]——这种风格有意地使用本土语言中的“大楼”一词，而不是“建筑”，以暗示一种社会审美作用，而不是个人主义的审美作用，并拒绝给予建筑师以过度的特权。从政治上强烈赞同此观点的艺术家为J. B. 凡·罗格汉姆[J. B. van Loghem]、本·蒙奇巴赫[Ben Merkelbach]及斯坦姆，他们曾前往苏联工作过一段时间，并视风格派为“小资产阶级形式主义”的表现。

在所有与风格派有关的艺术家中，只有凡·伊斯特伦完全投入到“新大楼”运动之中。欧德则是出了名的“不积极分子”，但他因在鹿特丹进行的工作而受人尊敬。里特维尔德则处于这一运动的边缘，他被视作非内部的建筑师，这种观点是不公平的，尽管他也被视作创新概念的主要来源。

克夫霍克及白院聚落是欧德最后两个得以实现的项目。1931年，他为鹿特丹北部布雷多普的一个大住宅区进行了设计，以兴建一个庞大及复杂的社区（图113）。然而，欧德的设计并未实现。他的设计包括一长排四层楼公寓，其中有露台以及连绵的大窗户。以“社会工程”的角度来看，这些设计方案中的住房更像是图森戴根都市化的公寓大楼，而不像是克夫霍克处的乡村住房。但是，与欧德早期建筑实践不同的是，这些一栋栋的建筑是开放式排列的（strokenbouw）。这一点与“新大楼”建筑师推崇的开放性原则及避免封闭性的倾向不谋而合。在欧德的设计中，一楼的公寓配有独立花园，这花园向楼与楼之间的公共空间延伸，就像他在图森戴根所做的一样。这种安排则与“新大楼”群体在20世纪30年代早期鼓吹的激进社会群体性理念相悖。最后，获得了建筑委托的是更为“意识形态正确”的“新大楼”建筑师 J. H. 范・登・布克[J. H. van den Broek]。欧德的计划只存在于设计图纸以

114

114. 格利特・里特维尔德，“司机住房”，乌德勒支，1927年，历史图片。建筑的黑色外墙上利用穿孔钢片制成小型白色圆环图案覆盖，远远看来，建筑带有某种灰色点彩画效果。

及一些分外迷人的钢笔草图上。1933年初期，他从鹿特丹住房局辞职，此政府部门当时正以另一名称重组。

因为欧德与风格派的关系及他在鹿特丹工作时赢得的名声，他在三十岁时获得了极高的国际知名度。国外的人们大量出版并讨论他的社会住房实践，尤其是在德国及美国，尽管他在英国及法国也有不错的名声。他对“白院聚落”的贡献巩固了他的声誉，确立了他国际风格建筑大师的身份。《工作室》杂志在1933年称其为“最为知名的荷兰当代建筑师，他的公寓及工人阶级住房设计工作赢得了全世界的赞誉”。希区考克在专著中称欧德为“一等建筑师”。在希区考克和建筑师菲

115

115. 格利特 · 里特维尔德，维也纳“白院聚落”，维也纳，1930—1932年。在荷兰以外，里特维尔德得以实现他在20世纪50年代前唯一一个工人阶级住房建筑方案。每一个房间大致只有4米x8米大小——也就是说，整个公寓大约只有一个房间的宽度——其中只有最基本的生活设施。住房为一个狭小的螺旋楼梯腾出了空间，另有一小片花园和走廊。

利普·约翰逊[Philip Johnson]共同撰写的论著——《国际风格》（伴随1932年纽约现代美术馆同名展览出版）一书中，欧德被称作“现代建筑四位大师之一”，其他的三人为密斯·凡·德·罗[Mies van der Rohe]、勒·柯布西耶及格罗皮乌斯[Gropius]。但是，欧德在20世纪30年代后期的风格转变毁了他的名声，即在建筑中加入装饰性元素毁了他的名声，直到近几年人们才重新开始关注他的建筑设计实践。

里特维尔德视施罗德住房设计工作为一次实验，能够对他的“普通”工作有所裨益，就像他的早期实验性家具一样。里特维尔德相信，他能够很好地在必然不“纯粹”的工作中使用这些经验，就像他在创作生涯后期为大规模生产进行设计时使用早期实验家具设计的想法一样。20世纪20年代中期，一位评论家称施罗德宅邸为“未来住宅的原型”，但这宅邸并不是未来工人阶级住房的原型。相反地，这是不算太富裕的中产阶级未来住房的模型，在随后的年月中越来越常见。里特维尔德在此加入了很多实验性的设计元素，并在随后的其他建筑设计中使用了这些元素，尤其是开放的、可转变的生活空间，经过某种程度的改装后，这种生活空间甚至可以满足工人阶级家庭的需要。

1927年，里特维尔德被委托设计位于乌得勒支的一个配车库公寓（图114），这里住着一位司机和他的家人。尽管这个建筑本身是非常独特的，但是“司机住房”日后变成了一种标准化住房的原型，这种住房的结构主要使用工型钢质框架及预制混凝土板。“司机住房”在1927年收录于《风格派》杂志及《i10》杂志中，里特维尔德在图片旁提供了简短的文字，介绍它的独特建筑结构。里特维尔德在这看似不太重要的住房上花费的心思丝毫不输施罗德住房，这一建筑也因此几乎与后者齐名。然而“司机住房”的建筑方式并不让人满意：房屋漏水现象严重，以至于在建成后屡经修补。

里特维尔德及施罗德夫人曾多次合作设计标准化住房，其中有一部分是为工人阶级设计的。在这些住房设计方案中，起居空间、餐厅空间及厨房空间三者共用一个开放式空间，其中有可移动墙面以随时分割空间。施罗德住房中也有独立的私密空间：一间卧室及一间书房。但是这些并未实现：合作设计工作事实上是面向中产阶级客户而不是面向工人阶级的，比如施罗德住房对面的伊哈斯木斯兰[Erasmuslaan]联排住房计划，施罗德夫人既是这一计划的委托客户又是合作设计者。然而，这种设计方案可以被大规模应用于平民住房，推崇“新大楼”风格的杂志《8与建筑》[*8 en Opbouw*]也的确是如此介绍这种设计的。这种设计方案的基本特点包括一种一米长的建筑模块，房屋中的楼梯和水电等设施垂直排列，“核心”理念即是将水电设施远离起居及卧室空间安放。住房一楼是厨房及餐厅或者起居空间。这些空间可以变成完全开放的，或通过如手风琴一般可折叠的墙面分隔开来，其上两层为卧室。里特维尔德在此处及日后的许多住房设计项目中都使用了又宽又深的窗户，为起居室及卧室带来大量的自然光——与欧德的住房设计相比，里特维尔德丝毫不吝啬于为室内空间提供自然光。欧德对于玻璃的使用的确是非常吝啬的，在早期的一篇文章中他称玻璃是一种“奢侈”。里特维尔德则认为大量地使用玻璃并不是一件奢侈的事情，他在1932年为乌得勒支罗伯特·舒曼大街[Robert Schumannstraat]设计的低中产阶级住房中也使用了巨大的窗户；在1930年为维也纳白院聚落[Wiener Werkbundsiedlung]（一个以白院聚落为基础的模范建筑展览）设计的低收入家庭五联排住房中也使用了巨大的窗户（图115）。

里特维尔德在设计施罗德住房时首次进行了空间灵活性实验，随后在与施罗德夫人合作设计伊哈斯木斯兰住房时也进一步发展了这种灵活性，这一点随后被“新大楼”建筑师们吸收，应用在他们的工人阶级住房设计之中。范·登·布克为鹿特丹布雷多普设计的公寓也使用了可滑动的墙面，整个房间可变成一个大型开放空间或是数个小空间。布里克曼[Brinkman]、凡·德·弗路[Van der Vlugt]及凡·德恩[Van Tijen]于1933年至1934年在鹿特丹设计的荷兰首个高层工人阶级公寓中也使用了类似的概念，在住房中引入了滑动墙面及折叠床。其中的一个样板公寓也使用了由梅斯百货制作、里特维尔德设计的家具。

“新大楼”团体最为激进的成员视这种“灵活空间”为一种失败，最起码是一种在与顽固的“壁凹床”设计进行的抗争之中做出的妥协——“壁凹床”是一种面向荷兰工人阶级的传统设计，尤其在鹿特丹，一直到1937年仍有许多工人阶级住房建设项目使用这种设计。他们指出：这种所谓灵活的生活空间设计不过是那不卫生的起居室“壁凹床”传统的现代化版本罢了。其次，一种可转换的空间事实上没有为各个功能空间留出足够的位置。对于富有的施罗德夫人及她的家庭来说，这可能没有问题，但对于工人阶级家庭以及那需要频繁轮班的工人阶级父亲来说，这不是足够好的空间解决方案。

1936年，里特维尔德设计了乌得勒支市中心的电影院[Bioscoop]，电影院楼上即是一些公寓住房，里特维尔德一家人租住在公寓最高层。他在广阔的空间内只布置了一个洗手间、一个淋浴间和一个为他自己和妻子隔出的小型卧室。孩子们则睡在隐藏在帘子后面的双层床上（就像壁凹床）。里特维尔德更愿意在这样的空间，而不是在施罗德住房的灵活可变空间中生活。这种生活方式正是20世纪80年代及90年代“阁楼”公寓潮流的先行者。

在两次世界大战之间，里特维尔德的所有低成本社会住房设计都被否定了。（他的唯一一次公共住房委托设计工作是在20世纪50年代完成的。）20世纪30年代，他几乎完全围绕中产阶级别墅及避暑山庄进行工作。他有时使用斜屋顶，有时使用茅草屋顶，有时使用侧板式屋顶，不断地震惊着“新大楼”群体的中坚成员。20世纪50年代，里特维尔德开始因30年前创作的家具及施罗德住房为国际建筑界所知。在1966年版的《国际风格》一书中，希区考克在前言中写道：“在回顾历史时，我们意识到，更能够代表荷兰的或许是里特维尔德而不是欧德。”

在1923年罗森贝格展览上与凡・杜斯伯格合作后，凡・伊斯特伦在荷兰国内进行了一系列设计工作，许多此类设计最终并没有实现，其他的一些则是竞赛项目。《风格派》杂志的十周年纪念刊上出现了由凡・伊斯特伦设计的柯布西耶风格的摩天大楼（图103），尽管此时他与凡・杜斯伯格早已反目。凡・伊斯特伦也与L.G. 皮努[L.G.Pineau]一同提交了一份巴黎重建方案，在方案中他们在玛德琳教堂[Madeleine]两旁布满了摩天大楼。1929年至1959年间，他在阿姆斯特丹担任城市规划师时发展了这种现代理念。凡・伊斯特伦为1925年柏林菩提树下大街[Unter den Linden]所做的设计竞赛方案获得了大奖，但是这个方案没有实现。在这时，他便开始发展成熟于20世纪50年代的大型街区组建风格。

因为在各种竞赛中颗粒无收，凡・伊斯特伦在1924年至1927年间担任维斯的助手，参与了阿姆斯特丹奥林匹克体育场的设计工作。1929年，他被阿姆斯特丹都市规划部任命为建筑师。市政府在1928年建立了这个部门，以顺着“科学”的方向为阿姆斯特丹市扩建工作做准备。都市规划部的总监及其他成员都是社会学家。曾与皮努一同在巴黎学习城市规划的凡・伊斯特伦是团队中唯一一个有建筑实践经验或城市规划知识的成员。（他随后被任命为城市规划部门的总监。）在进行了大量的人口增长、交通路线、绿地规划及其他公共设施的研究工作之后，都市规划部在1935年为西阿姆斯特丹制作了“一般城市扩张计划”（AUP），这计划旨在满足直到2000年的都市扩张需求。AUP迅速成为世界都市规划的典范。

凡・伊斯特伦在1930年的布鲁塞尔第三届CIAM大会上被选为主席。他的崛起可能要归功于他在法德两国进行的建筑设计实践、广泛的

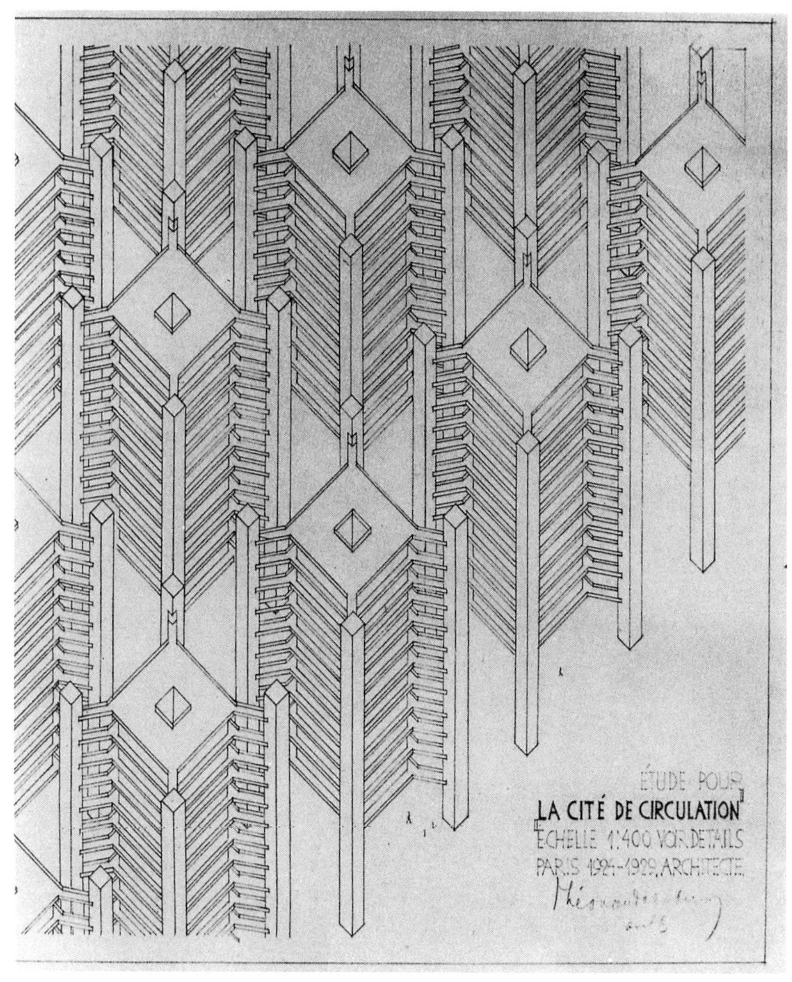

116. 提奥·凡·杜斯伯格，《互联城市》[La Cité de Circulation]，1924—1929年。尽管凡·杜斯伯格在20世纪20年代后期常进行乌托邦式摩天楼设计，但是他相信勒·柯布西耶的重新构建城市理念是一个错误的想法："因为我并不知道生命会朝什么方向发展。"

人脉及他与风格派的联系。在这一届CIAM大会上，都市规划被视作现代建筑环境的根基。这种理念在很大程度上影响了欧洲大陆的战后重建工作，也直接造就了20世纪50年代及60年代的国际性现代建筑运动的统治性地位。从很多方面来说，风格派对20世纪的建筑及都市规划的影响都需要归功于凡·伊斯特伦在事业后期进行的工作。但是，风格派建筑理念的许多重要特点——小型建筑规模、亲密性等（里特维尔德的施罗德住房、维斯的大恩贝格住宅及欧德的克夫霍克项目便是这些特点的典范）都被忽视，取而代之的是凡·伊斯特伦的巨大现代都市规划理念。他被描述成“革新了城市建造实践的建筑师，也重构了建筑设计实践”。

在尝试解决战后大众住房问题的时候，包括扬·柏克玛[Jan Bakema]、范·登·布克及凡·伊斯特伦在内的许多荷兰建筑师以一种巨大而不以人类为尺度的规模规划新都市区域。他们使用板块材料和标准化模块，往往直接将风格派的绘画，比如凡·德·列克的抽象构成或凡·杜斯伯格的《俄国舞蹈韵律》的形式语言直接转译至立体空间之中，制作出巨大的建筑，建筑评论家理查德·帕杜文[Richard Padovan]就曾指出这一点。城市被当作巨大的浮雕，应当用以衡量城市体验的人类尺度及独立住房与周遭环境的距离，则完全被忽视了。

里特维尔德及施罗德夫人从平面图开始创作，而日后的荷兰现代主义建筑师及规划师则从城市规划图开始工作。风格派艺术家及建筑师强调普世价值及集体价值，而不是个体价值（他们认为个体价值在过去被过分强调了）。但他们也总是推崇集体性与个体性的平衡。欧德和里特维尔德均尝试在20世纪20年代及30年代的住房设计中保有这种平衡。

117

117. 伊万·帕纳基[Ivan Panaggi]，曾比尼之家[Casa Zampini]室内设计，马切拉塔[Macerata]，1925—1926年。20世纪20年代，帕纳基及维吉洛·马奇[Virgilio Marchi]等未来主义设计师创作了一系列近似风格派风格的室内及家具设计。

第九章 | 机械美学及欧洲现代主义

20世纪30年代以来，风格派一直都被看作是现代主义艺术和建筑中的重要一环，衔接了1914年以前的立体主义和未来主义，以及1918年后的几何抽象派和国际风格建筑。20世纪五六十年代，包括布鲁诺·赛维[Bruno Zevi]和雷纳·班汉姆[Reyner Banham]在内的建筑评论家认同并拓展了这种看法，将这种看法放到更为复杂的历史叙事中进行更加全面的梳理。班汉姆认为，风格派的“理论家”把战前未来主义者们浪漫的、无政府主义的机械狂热“变形”为这样的一种概念：“作为集体纪律代理的机械”，他认为，“他们应该被看作真正的奠基人，因为他们把机械审美带入那些20年代最好的艺术作品之中。”

尽管在早期风格派写作中并没有太多对于机械的讨论，但是凡·杜斯伯格在1917年11月名为“未来的风格”[De Stijl der toekomst]的演讲中，把机器形容为“时代精神”的符号，这篇演讲写于第一期《风格派》杂志出版不久。在《风格派》杂志创刊的头三年内，大部分对于机械重要性的描写以及对于视觉艺术机械化的讨论几乎都是由建筑师们完成的，特别是欧德、范特·霍夫和维斯。他们的观点来源于赖特及早期未来主义。欧德指出赖特的罗比之家[Robie house]中的一切——包括家具——都是由机器制造的，就像是一辆被量化生产的汽车。他在1918年2月的《风格派》杂志中写道：“今天的建筑师不再真正参与建筑建造的过程，他只是来进行指导工作……他在办公室中进行建筑的设计和计算，之后其他的事情就被分配到其他部门了。”

对于欧德来说，一栋楼房是建筑图纸标准化的实现成果，它可以被多次再现。在1918年5月的《风格派》杂志中，他提出，通过使用符合审美又具功能性的产品和大批量生产方法，“建筑师变成了一个在建筑语境中，通过关系艺术等制造大规模生产的制作人。”欧德相信，标准化生产能够带来更加廉价、高效的建造方法。这样可以解决当时荷兰战后劳动力紧缺的问题。他同样也相信，这样的生产方式会带来一种全新的、近似于现代主义绘画的审美与和谐。通过使用标准化材料，建筑师们能够像蒙德里安、凡·德·列克、胡札和凡·杜斯伯格创作绘画作品那样，使用方形、长方形、原色等“标准化”元素，进行建筑设计实践。而个体元素将会在整体统一原则之下保持自己的独立性，就像风格派美学与社会意识形态所要求的一样。

战争结束后，欧德来到德国。1919年，他去了柏林，于年末开始为《风格派》杂志撰稿，主要讨论欧洲的建筑设计实践（而不仅是荷兰的建筑设计）。而后他提出了一种“早期纯粹古典式”的建筑形式，这种建筑形式能够消除艺术与实际功用之间的界限。他引用了比利时建筑师亨利·凡·德·维尔德[Henry van de Velde]关于希腊神庙和现代功能化内部设计之间相似之处的讨论：新的风格应该对应“新时代精神的动力”。这种动力可以在我们的日常生活中找到，如蒸汽火车和汽车、电气产品和清洁用具、一般的机器、运动服装和男性时装。那些与工业同盟[Werkbund]有关的德国建筑师的写作中也可见如此的热情，赫尔曼·穆特休斯[Hermann Muthesius]便是其中之一。早在1914年之前他已进行了类似的讨论，而勒·柯布西耶和奥占芳[Ozenfant]与此相关的讨论到1920年10月才在《新精神》[*L'Esprit Nouveau*]杂志上发表。欧德可能是受奥地利建筑师和设计师阿道夫·卢斯[Adolf Loos]影响而提到男性时装。后者在发表于20世纪初的一篇文章中讨论了服装作为一种精心设计的现代产物的观点。欧德当然也受到未来主义思潮的影响，他在1920年1月的《风格派》杂志中评论了未来主义建筑师马利奥·加多内[Mario Chiattone]为一家广播电台所做的两个设计方案及一个标准化住宅楼设计。

对于欧德来说，比起手工制作的瑕疵感（比如艺术家的手工创作等），机械技术所带来的完美性才是新型审美的重要特点。他总结道，现代主义的美学不再依赖于装饰品所带来的“感官上”的价值，而是取决于“精神价值”，包括关系、形态的明确性、纯色感等等，而这些全部能够通过机器生产实现。

蒙德里安在一战前于巴黎进行创作的时候可能已经结识了未来主义运动领袖马里内提。1919年，他回到巴黎后，马里内提在此处宣传未来主义，因此两人经常碰面。蒙德里安给凡·杜斯伯格写信，强烈提议凡·杜斯伯格邀请马里内提为《风格派》杂志撰稿（图118），且希望自己能够在1921年8月或9月刊中写一篇关于未来主义“噪音音乐”的文

118

119

118. 安东尼奥·德·桑·伊利亚[Antonio de Sant' Elia]，阶梯住房[Casa a Gradinate]，收录于《风格派》杂志1919年8月刊（vol.2, no.10）。未来主义设计师德·桑·伊利亚死于一战；马里内提给凡·杜斯伯格寄去了一些德·桑·伊利亚建筑草图的照片，《风格派》杂志刊登了这些建筑草图（另附有范特·霍夫撰写的介绍），这对于现代建筑的发展有着重大的意义。

119. I. K. 波瑟特，收录于《风格派》杂志十周年特刊，1928年。事实上，这是耐理·凡·杜斯伯格扮作男人，戴着飞行员帽，穿着皮夹克——这毫无疑问是未来主义人物的象征符号。波瑟特的文字却更像是达达主义的。

章。20世纪20年代早期，蒙德里安的很多文章都提及马里内提和未来主义，且持赞赏态度。1922年，马里内提送给蒙德里安一本他于1913到1919年间写成的未来主义诗歌集，题词“致最亲爱的新造型主义的创造者”，蒙德里安一直到去世前都保存着这本书。

凡·杜斯伯格一直以来都对未来主义充满了兴趣，他大约从1912年起便开始关注未来主义的宣言。1916年，他在莱登学习意大利语，以便能够更加简单直接地了解未来主义的思想与理念。1919年，他对意大利语进行了更加深入的学习，从而能够达到归纳、总结并翻译未来主义文献的水平，并且在《风格派》杂志中引用了不少战后未来主义的宣言。

1921年，凡·杜斯伯格第一次与马里内提在米兰会面。当时他感受到未来主义来势凶猛，并认为它是达达主义的先驱。凡·杜斯伯格意识到未来主义本身带有的破坏性趋势，以及其对于旧事物的倔强敌意。此后，他逐渐在自己的写作中强调破坏性元素的重要性。（图117）同年年末，凡·杜斯伯格作为荷兰杂志《潮流》[*Het Getij*]的艺术编辑开始介绍并传播有关未来主义的思想，把它视作是摧毁旧事物、为新型思想发展铺路的一项运动，并发表了三个未来主义宣言。凡·杜斯伯格也于此时开始使用他的未来主义化身，奥都·卡米尼[Aldo Camini]——意为旧事物必须被摒弃（“aldo”在意大利语中有“陈旧”或“最年长”之意，而“Camini”则来自“camminare”一词，意为“退散”或“离去”）。在《风格派》杂志中，他以达达主义笔名 I. K. 波瑟特所发表的诗歌表现了很多未来主义理论和实践（图119）。风格派的“文学宣言”（1920年由凡·杜斯伯格与蒙德里安一同写就）在很大程度上受到马里内提发表于1912年的“未来主义文学的技术性宣言”影响。

从1920年起，凡·杜斯伯格便开始关注建筑与现代科技环境的关系。1920年4月的《风格派》杂志中刊登了一张美国伯利恒造船厂室内设计的照片。他在5月刊中用一种近乎于宗教崇拜的狂热方式进行了

120

HANS RICHTER

FILM

Die eigentliche Sphäre des Films ist die des „bewegten" Raumes, der „bewegten" Fläche, der „bewegten" Linie. Bewegt: d. h. Raum, Fläche, Linie vielmals und nacheinander.

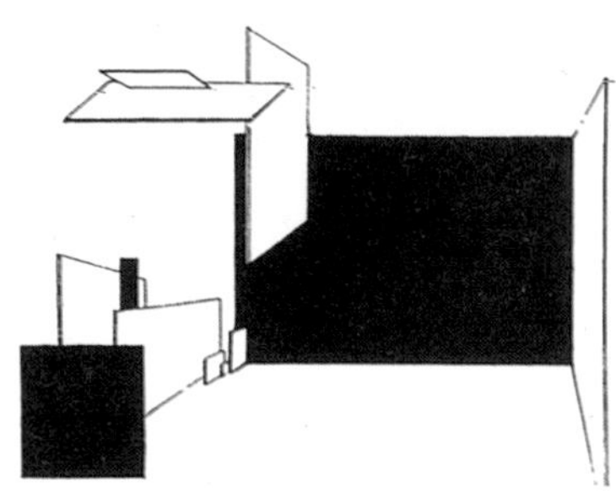

HANS RICHTER FILMMOMENT

Dieser Raum ist nicht architektonisch oder plastisch, sondern zeitlich, d. h. das Licht bildet durch Wechsel der Qualität und Quantität (Hell, Dunkel, Farbe), Lichträume, die nicht voluminös sind, sondern eben nur durch Folge das zum Raum machen, was, wenn man den Zeitverlauf unterbräche, nur Fläche, Linie, Punkt wäre.
Soweit über die Art des Entstehens des Lichtsraums, über den Charakter des Entstandenen folgendes:
Der Vorgang als Ganzes enthält erst die Qualität: Zeit dadurch, daß in ihr wieder die Einzelheiten (Rhythmus und Gegenrhythmus) synthetisch so organisiert sind, daß das Ganze Einteilbar ist. Diese Zeiteinheit verhält sich zum Raum wie eine Raumeinheit zur Fläche.
Die Aufgabe, die besteht, ist also: den Spannungsvorgang, der im einzelnen zum Lichtraum führt, zur Grundlage im Aufbau des Ganzen zu machen, so daß nicht eine einfache Summe von Raumeinheiten entsteht, sondern eine neue Qualität.
April '23. Berlin.

DE BETEEKENIS DER 4e DIMENSIE VOOR DE NIEUWE BEELDING[1]

HENRI POINCARÉ

POURQUOI L'ESPACE À TROIS DIMENSIONS?

Les géomètres distinguent d'ordinaire deux sortes de géométries, qu'ils qualifient la première de métrique et la seconde de projective; la géométrie métrique est fondée sur la notion de distance; deux figures y sont regardées comme équivalentes, lorsqu'elles sont „égales" au sens que les mathématiciens donnent à ce mot; la géométrie projective est fondée sur la notion de ligne droite. Pour que deux figures y soient considérées comme équivalentes, il n'est pas nécessaire qu'elles soient égales, il suffit qu'on puisse passer de l'une à l'autre par une transformation projective, c'est-à-dire que l'une soit la perspective de l'autre. On a souvent appelé ce second corps de doctrine, la géométrie qualitative; elle l'est en effet si on l'oppose à la première, il est clair que la mesure, que la quantité y jouent un rôle moins important. Elle ne l'est pas entièrement cependant. Le fait pour une ligne d'être droite n'est pas purement qualitatif; on ne pourrait s'assurer

[1] Voor dit hoofdstuk verzamelen wij uitsluitend alle documenten die op de 4e dimensie betrekking hebben. Als inleiding drukken wij hier, een der belangrijkste, wetenschappelijke artikelen van Henri Poincaré af.

如下描写“一个由玻璃、铁和光组成的天堂”，在这个天堂里，机器们“就像是光和运动的祷言，与它们所在的空间建立了一种虔诚的联系”。而工厂和百货商店则是“机械生产与人类生活的教堂”。1921年夏，他在《建筑周刊》上发表了三篇文章，详尽地讨论了“机械美学”或“机器美学”的概念（这样的概念似乎是他第一个提出的）。他在1921年到1922年间完善并拓展了这些概念，在名为“风格意志”[Der Wille zum Stil]的演讲中（此演讲于1922年发表于耶拿、魏玛和柏林，并同时以德语在《风格派》杂志上进行发表），他宣称机器“代表了精神原则的精髓……机械是静止与动态之间最为直接的平衡……同时也是

120. 汉斯・里克特[Hans Richter]，电影片段[Filmmoment]，收录于《风格派》杂志（vol.6, no.5），1923年。凡・杜斯伯格刊登了里克特及艾格林[Eggeling]的一系列文章及实验作品图片。他自己也常在写作中讨论电影。

思想与感知间的平衡”。

凡·杜斯伯格攻击手工制作，并轻蔑地抨击了一些曾被英国工艺美术运动推崇的概念。他认为，手工制作本身根本不能满足绝大多数从事手工制作的工人，反而将人类贬低为机器。“机器的正确运用方式（即建立文化）是唯一能够带领我们走向相反道路的方式——社会解放。”然而，同时他也提到：“质量，而不是数量，是正确运用机器的先决条件。”以此，他确立了艺术家们在“机器美学”中所扮演的角色。

他同样也在绘画、雕塑、建筑、文学、爵士乐、电影和商品中看到“风格意志”的体现。凡·杜斯伯格引用了许多自未来主义以降广受先锋派、现代主义艺术家和建筑师推崇的标准化人工制品：钢铁桥、蒸汽火车、汽车、飞机、飞机仓库、摩天大楼等等，并自1920年早期开始在《风格派》杂志中大量刊登此类事物的图片。另外，他也常提及风格派艺术家及设计师的最爱——儿童玩具。他指出：“艺术即为游戏，它以自己独特的游戏规则运行。”

“风格意志”也大量讨论了电影艺术。实验抽象电影人汉斯·里克特[Hans Richter]和维京·艾格林[Viking Eggeling]（凡·杜斯伯格于1920年在德国认识两人）的作品是凡·杜斯伯格“机器美学”理念的最初灵感来源。凡·杜斯伯格写道：“这种对于电影技巧的特殊运用创造了一种纯粹的造型绘画式表现手法。这种新型的表现手法为静止与变化、空间与时间之间的问题提供了解决方案。”此观点后被纳入“元素主义”和“反构图”的理论中（见第四章）。凡·杜斯伯格最具动态的建筑颜色实验即是在斯特拉斯堡为黎明宫设计的电影院—舞厅（见第十章）。在20世纪的头十年中，很多现代主义人物认为电影是终极机器审美的重要元素，凡·杜斯伯格也不例外。

1921年，凡·杜斯伯格用笔名 I. K. 波瑟特在《风格派》杂志中写下：“每一个机械结构都是一种有机体的精神化成果。”在他完成“风格意志”之际，机器对于凡·杜斯伯格来讲已经变成了一种人类创造力的象征。机械审美替代了蒙德里安早期发表于《风格派》中受神智学影响的神秘主义理论。然而在1923—1924年间，凡·杜斯伯格开始对功能主义和机械审美产生质疑，他写道：“需要记得的是，趋向功能主义的发展意味着对于建筑中随意装饰的反抗。然而，那些所谓无功能的、非理性的、以及非经济适用的一切，同样也是生活中非常重要的一部分，启发着创造性意识。”

凡·杜斯伯格在发表于1924年的《论一种集体构成》[Vers une construction collective]（这篇文章大概是1923年为罗森贝格画廊展览而写的）中声称“艺术中的机器就是幻觉，和所有其他的幻觉一样”。一年以后，他发表了《现代主义之死》。这篇文章指出，某些绘画、建筑、雕塑作品“是基于完全‘不同’的方式、独特的观看及思考系统设计出来的。这些作品是非常极端的事例，完全将新的事物从生活中孤立出来，也经常与生活对立。”于是，对于机器审美的热情又被更新了的“空间—时间”关系及“第四维度”概念所取代。凡·杜斯伯格相信，不仅电影能够表现这些理念，建筑中的颜色位面构建也可以表现这些理念——他与凡·伊斯特伦在罗森贝格画廊展览中展出的合作设计便是这种想法的最好体现（图104、138、139）。

1926年，凡·杜斯伯格到意大利拜访了马里内提，那时马里内提在罗马生活。他与马里内提以及未来主义画家英里科·普让波利尼[Enrico Prampolini]和贾科莫·巴拉[Giacomo Balla]探讨了元素主义和反构图。此后出现了一系列关于这两个概念的文章，陆续在1926年到1927年间发表于《风格派》杂志上。这些文章表明凡·杜斯伯格重新对动态及运动的抽象表达产生了兴趣。

凡·杜斯伯格性格中的无政府主义倾向让他很自然地与达达主义运动产生共鸣。为了给自己对达达主义的喜爱辩护，他将达达主义呈

121　　122

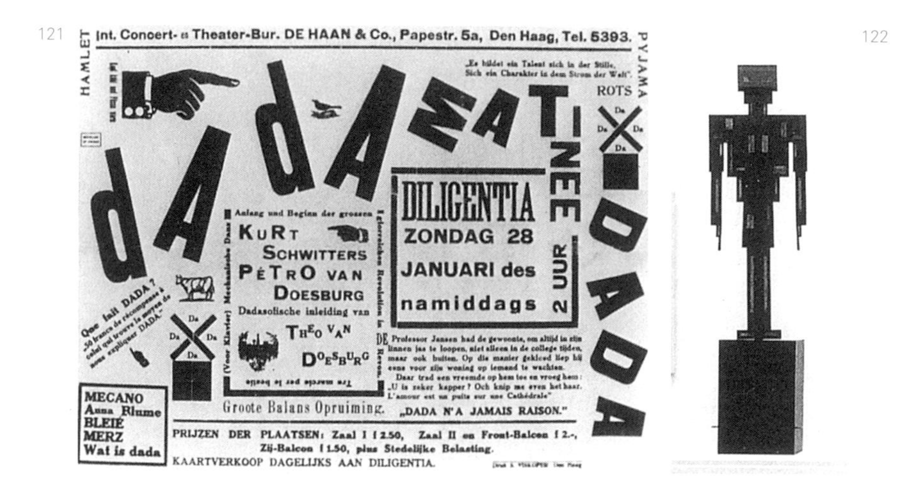

现为破坏性的元素，它可以扫清旧事物，为新事物铺路，而这种新事物是由风格派及机器审美共同书写的。他感到，蒙德里安可能不会因风格派对于达达主义的效忠而欣喜，于是创造了波瑟特这个笔名来发表自己的达达主义文章。只有欧德和阔克知道波瑟特其实就是凡・杜斯伯格本人。

1921年，《风格派》杂志中刊登的很多作品都是达达主义艺术家的。1922年，凡・杜斯伯格推出了另一本名为《梅卡诺》[*Mécano*]的杂志，由 I.K. 波瑟特编辑，凡・杜斯伯格排版（图124）。它的大部分内容都与达达主义有关，或如杂志副标题所说，与“新达达”有关。它还在《风格派》杂志中打了广告：“《梅卡诺》，一本关于精神卫生、

121, 122. 斯维特斯及凡・杜斯伯格的荷兰达达艺术巡回展览海报，1923年；魏默思・胡札的《机械舞蹈人像》，1917—1920年（重塑于20世纪80年代）。在那巡回展览上，凡・杜斯伯格朗诵了波瑟特的声音诗歌，而斯维特斯则学狗叫，以此打断凡・杜斯伯格。有时候，胡札会演示他的机器人偶，而耐理・凡・杜斯伯格则会弹一些钢琴曲子，比如伊里克・萨蒂[Eric Satie]的《拉格泰姆》[Rag-Time]或维托里奥・李阿提[Vittorio Rieti]的《一只鳄鱼的葬礼进行曲》[Funeral March of a Crocodile]及《白蚁进行曲》[Military March of a Termite]。

123

123，124. 使用米卡诺[Meccano]玩具搭建成的模型，收录于《风格派》杂志1922年5月刊（vol.5, no.5）；提奥·凡·杜斯伯格，为《梅卡诺》进行的字体设计及1922年的封面设计（左）。《梅卡诺》是一份单张出版物（纸张被折叠了四次），像是米卡诺玩具套装的使用说明，也使用了类似的字体设计方案。《梅卡诺》共出版了四次，分别使用了不同的“风格派颜色”：黄色、蓝色、红色和白色。风格派元素各自代表了标准化生产的米卡诺部件。这个《风格派》杂志上的“机械物件，一种自己动手制作的动态儿童玩具”就是一个用米卡诺模具制作的小型引擎。

机械美学以及新—达达主义的国际期刊。”《梅卡诺》创刊后，《风格派》中关于达达主义的内容逐渐减少。

1922年，凡·杜斯伯格在德国进行了许多次达达行为表演。他和汉斯·阿普、库尔特·斯维特斯[Kurt Schwitters]、特里斯唐·查拉[Tristan Tzara]、拉欧尔·豪斯曼[Raoul Haussmann]一起去了耶拿、德莱森和汉诺威。耐理·凡·杜斯伯格以其艺名佩琼·凡·杜斯伯格担任演出的钢琴师一职。1923年初，凡·杜斯伯格与耐理和斯维特斯一起在荷兰进行达达巡演（图121、122）。

在凡·杜斯伯格于1923年初夏搬到巴黎以后，他的达达主义活动开始逐渐减少：他最后一次进行达达主义活动应当是在1923年7月为查拉的《长毛心之夜》[Soirée du coeur à barbe]做的舞台设计。索尼娅·德劳内为此剧设计了服装，耐理演奏了由荷兰现代主义作曲家雅各布·凡·杜姆瑟拉尔[Jacob van Domselaer]创作的《风格艺术典范》[Proeven van Stijlkunt]。这个被布里顿[Breton]和超现实主义者们打

M—É—C—A—N—O
GÉRANT LITÉRAIRE: I. K. BONSET
No 4 en 5
ADMINISTRATIE: UTR. JAAGPAD 17, LEIDEN (HOLLAND)
HOLLAND'S
BANKROET
DOOR DADA
N.B. Thuisbezorging zonder prijsverhooging
1923
Et je trouve qu'on a eu tort de dire que le Dadaïsme, le Cubisme, le Futurisme, reposaient sur un fond commun. Les deux dernières tendances étaient surtout basées sur un principe de perfectionnement technique ou intellectuel tandis que le Dadaïsme n'a jamais reposé sur aucune théorie et n'a été qu'une
Protestation
(Tristan Tzara)
Dada est la force désintéressée, ce n'est pas une maladie, pas une énergie pas une vérité.
Evola
Waar het hart leeg van is loopt de neus van over.
Bonset

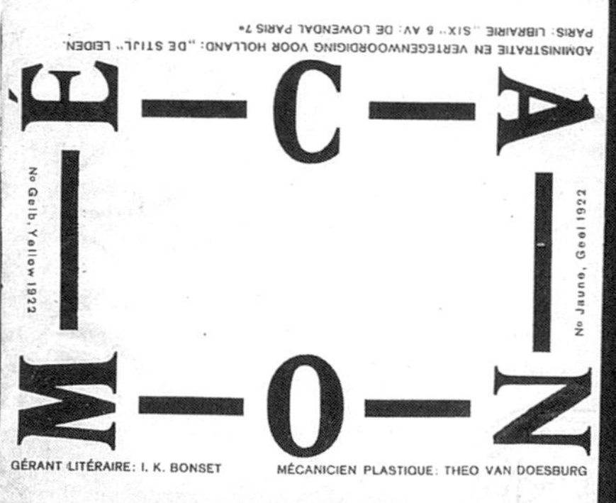
M—É—C—A—N—O
No Gelb, Yellow 1922
No Jaune, Geel 1922
GÉRANT LITÉRAIRE: I. K. BONSET
MÉCANICIEN PLASTIQUE: THEO VAN DOESBURG

1922
MÉCANO
AAN DE ADMINISTRATIE
„DE STIJL"
HAARLEMMERSTR. 73A
LEIDEN
Holland
BILANZ DES STAATLICHEN BAUHAUSES WEIMAR
HOLZHAUS SOMMERFELD
U.S.W.
1919
THEATER JENA
1922
VAN DOESBURG KOMMT NACH WEIMAR
1921
UND
BEGRÜSSUNG
DE STIJL
1916
1923
HOLLAND
Freut sich, daß die neue Gestaltung in der Malerei (NEO-Plasticismus) schon einen derartigen Einfluß auf die Kunstentwicklung Europas ausübt.
THEO VAN DOESBURG
P. MONDRIAN
C. VAN EESTEREN
Paris 1923
Nur das □ des Stijls ist gesetzlich geschützt
SCHON VIELE BENUTZEN
DAS □
ABER nur wenige
VERSTEHEN ES
Van buiten kwadraat van binnen Biedermeier

124

断了的演出通常被认为是达达主义运动的终结。

凡·杜斯伯格与魏玛包豪斯的关系一直以来备受争议。尽管如此，几乎在同一时间，荷兰及俄国现代主义艺术——两地的主要领袖即是凡·杜斯伯格和艾尔·李思兹基——为包豪斯的教学方法和理念带来了巨大的影响：1923年前后，包豪斯学院不再以手工制作为基础开展教学，而是转为关注机器审美及大规模生产。1920年年末至1921年年初，凡·杜斯伯格受格罗皮乌斯邀请拜访了包豪斯。他在1921年1月7日寄给阔克的信中写道："在魏玛，我被彻底颠覆了。这是一所非常著名的学院，其中有最为现代的教员！我每天晚上都在与学生们交谈。我在各处散播新精神的毒药。"此后，他宣称："《风格派》杂志将会以全新的面貌再次面世！"也许他也曾希望格罗皮乌斯能够给他一份教职工作。同时，格罗皮乌斯可能曾经暗示了这件事，而在1921年春看到凡·杜斯伯格侵略性和扰乱性的一面后打消了这个念头。

凡·杜斯伯格在魏玛断断续续地住到1923年初，格罗皮乌斯的合伙人阿道夫·迈耶负责他的旅行安排。阿道夫·迈耶是一位年轻的包豪斯教师，也曾是一名最为激进的包豪斯学生。凡·杜斯伯格在魏玛举办了讲座，吸引了很多听众。他每周六为包豪斯的师生举办酒会，并在1922年3月到7月间开设了"风格课程"。他想要推广一种更加体系化、非个人化的创作及教学风格。这恰恰与当时包豪斯的风格背道而驰。当时，包豪斯推崇表现主义和手工制造，而这两者都是凡·杜斯伯格在他

125，126. 马克斯·波提阿特[Max Burchartz]《在三维空间进行的颜色构图研究》[*Study for Colour Composition in Three Dimensions*]，约1922年；维纳·格哈夫[Werner Gräff]，摩托车草稿，收录于《风格派》1922年12月刊（vol.5, no.12）。在凡·杜斯伯格的众多包豪斯追随者之中，波提阿特及格哈夫尤其忠诚，两者旁听了他在魏玛进行的"风格课程"。波提阿特将蒙德里安及凡·杜斯伯格的作品翻译为德文。他的研究可以与蒙德里安为伊达·比纳特进行的设计相比较（见图83）。格哈夫在《风格派》杂志中发表了风格化的、几何式的摩托车及汽车设计，以及一篇名为《为了新事物》的宣言。

125

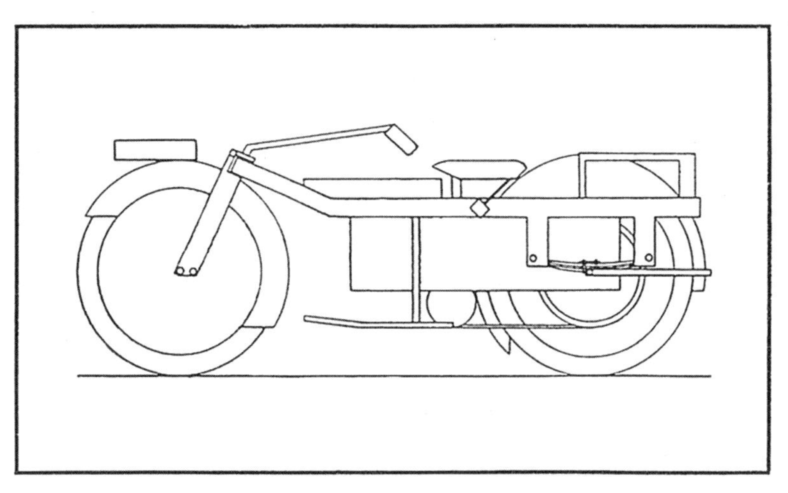

126

127

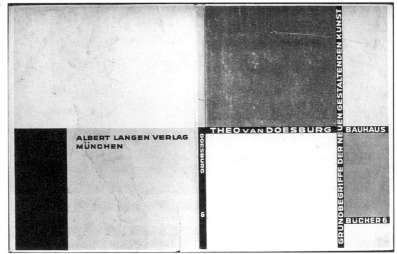

的讲座和研讨会中猛烈攻击的。“风格课程”每周三晚上开课，包括一个小时的理论学习以及一个小时的实践创作，包豪斯的很多师生都参加了课程（图125、126）。

在格罗皮乌斯疏离凡·杜斯伯格之后，后者找到欧德，向他咨询更多关于荷兰艺术和建筑的新想法。他在1923年10月15日寄给欧德的信中表示，他希望“与荷兰建筑建立直接的联系”，还特别提到欧德的建筑实践。迈耶率先行动，他安排将欧德的“建筑项目”及文章《未来建筑及其建筑可能性》[Over de toekomstige bouwkunst en hare architectonische mogelijkheden]翻译成德文。这篇文章原本是鹿特丹某个讲座上的演讲稿，并于1921年发表于《建筑周刊》[*Bouwkundig Weekblad*]。德文版本在1922年夏天发表在德语杂志《曙光》[*Frühlicht*]上。这文章被班汉姆描述为“20世纪20年代中第一个由主流建筑师发表的重要理论声明”。然而，这篇文章中的很多观点都可以在欧德于早期《风格派》上发表的文章中找到。重要的是，文章的德

128

127. 提奥·凡·杜斯伯格，为包豪斯出版物《No.6》设计的书套，1925年。

128. 马歇·布鲁尔[Marcel Breuer]，椅子，1923年。尽管里特维尔德的家具事实上并没有在包豪斯展出过（人们常如此误解），《风格派》杂志及凡·杜斯伯格在包豪斯举办的讲座课程极大地推广了里特维尔德的家具设计。包括布鲁尔在内的家具学院学生深受影响。布鲁尔日后在包豪斯成为了一名教师，也是一名建筑师及家具设计师。

语版本使得这些观点能够被更广泛地传播。

1923年8月，欧德被邀请做一个关于现代荷兰建筑的讲座（他曾于同年3月在荷兰做过这个讲座），这是当时“包豪斯周”活动的一部分，该活动还包括一个包豪斯展览，展出了包豪斯运动自1919年以来创作的作品。这次讲座的演讲稿后来被录入由格罗皮乌斯和莫霍利-纳吉共同编辑的包豪斯系列出版物，出版物中有几卷由凡·杜斯伯格和蒙德里安撰写（图127）。

1918年到1919年间，范特·霍夫把风格派艺术家的作品照片寄往俄罗斯。1919年4月，《风格派》杂志收录了一份由瓦西里·康定斯基整理的俄国艺术学院重组报告，这份报告是在苏联教育文化委员阿纳托利·卢那察尔斯基[Anatoly Lunacharsky]指导下完成的，最早发表

129

DE STIJL

MAANDBLAD VOOR NIEUWE KUNST, WETENSCHAP EN KULTUUR. REDACTIE: THEO VAN DOESBURG. ABONNEMENT BINNENLAND F 6.-, BUITENLAND F 7.50 PER JAARGANG. ADRES VAN REDACTIE EN ADMINISTR. KLIMOPSTRAAT 18 'SGRAVENHAGE (HOLLAND).

5e JAARGANG No. 9. SEPTEMBER 1922.

K. MALEVITSCH (MOSKOU) 1913
(Zie artikel: Beeldend Rusland)

130

INHALT: DADA IN HOLLAND. KOK: GEDICHT. BONSET: GEDICHT; AAN ANNA BLOEME; PICABIA: ZEICHNUNG. HANNAH HÖCH: ZEICHNUNG; WEISSLACKIERTE TÜTE

MERZ

1

DA DA DA DA

HOLLAND

DADA

JANUAR 1923
HERAUSGEBER: KURT SCHWITTERS
HANNOVER · WALDHAUSENSTRASSE 5II

于德国艺术杂志——《艺术刊物》[*Das Kunstblatt*]。同年9月，凡·杜斯伯格与荷兰画家克里斯·比克曼[Chris Beekman]取得联系，后者自1917年以来便一直与马列维奇保持联系。凡·杜斯伯格写道："我十分期待与我们的俄国同僚进行交流。他们的作品还是躲在表现主义大旗下吗，还是取得了长足的发展？俄国是我们唯一忽视了的联系。"一直到1921年6月，凡·杜斯伯格终于在《风格派》杂志中讨论了一群莫斯

129，130. 《风格派》1922年9月刊（vol.5, no.9）封面，封面图片为马列维奇的《黑色方块》（1915）；《梅茨》[*Merz*]1923年1月刊（no.1）封面。这一期《风格派》也收录了罗钦可、波波娃及帕尼的作品。斯维特斯的达达主义杂志《梅茨》的第一期内容聚焦于"荷兰达达"。对角十字符号及其中的"Da"字样源自抽象的风车形象——荷兰水力能源传统的象征，这也代表了与"自然"相对立并掌握了"自然"的"人为"力量。标志下的黑色方块代表了风车的地基，可能也同时意味着马列维奇的黑色方块。

131

DE STIJL

MAANDBLAD VOOR NIEUWE KUNST, WETENSCHAP EN KULTUUR. REDACTIE: THEO VAN DOESBURG. ABONNEMENT BINNENLAND F 6.-, BUITENLAND F 7.50 PER JAARGANG. ADRES VAN REDACTIE EN ADMINISTR. KLIMOPSTRAAT 18 'SGRAVENHAGE (HOLLAND).

5e JAARGANG No. 6. JUNI 1922.

EL LISSITSKY

PROUN

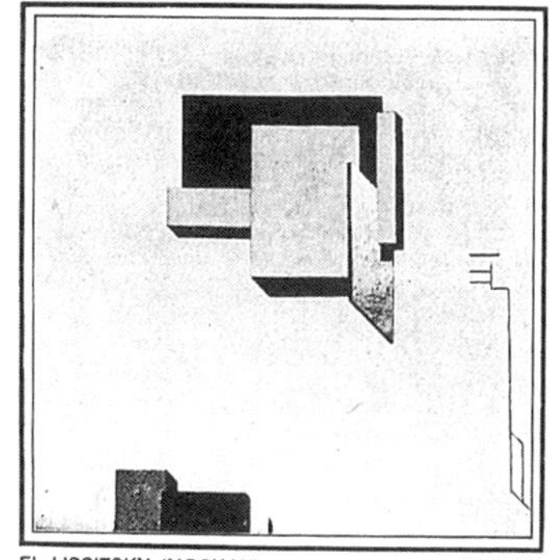

EL LISSITSKY (MOSKAU) PROUN[1]

Nicht Weltvisionen, SONDERN — Weltrealität

Proun nannten wir die Haltestelle auf dem Aufbauwege der neuen Gestaltung, welche auf der von den Leichen der Gemälde und ihren Künstlern gedüngten Erde entsteht. Das Gemälde stürzte zusammen mit der Kirche und ihrem Gott, dem es als Proklamation diente, zusammen mit dem Palais und seinem König, dem es zum Throne diente, zusammen mit dem Sofa und seinem Philister, dem es das Ikon[1] der Glückseligkeit war. Wie das Gemälde: so auch sein Künstler. Die expressionistische Verdrehung der klaren Welt der Dinge durch die Künstler der **„Nachbildenden Kunst"** wird sowohl das Gemälde als auch seinen Künstler nicht retten, sondern bleibt eine Beschäftigung für Karikaturenschmierer. Auch die „reine Malerei" wird mit ihrer Gegenstandslosigkeit die Vorherrschaft des Gemäldes nicht retten, doch beginnt hier der Künstler mit seiner eigenen Umstellung. Der Künstler wird vom Nachbilder ein Aufbauer der neuen Welt der Gegenstände. Nicht in der Konkurrenz mit der Technik wird diese Welt aufgebaut. Noch haben sich die Wege der Kunst mit denen der Wissenschaft nicht gekreuzt.

Proun ist die schöpferische Gestaltung (Beherrschung d. Raumes) vermittels der ökonomischen Konstruktion des umgewerteten Materials.

Der Weg des Proun führt nicht durch die engbegrenzten und zerplitterten wissenschaftlichen Einzeldisziplinen — der Aufbauer zentralisiert alle diese in seiner experimentellen Erfahrung.

Die Gestaltung außerhalb des Raumes = 0. Die Gestaltung außerhalb des Materials = 0.

$$\frac{\text{Gestaltung}}{\text{Material}} = \frac{\text{Masse}}{\text{Kraft}}$$

Das Material bekommt Gestalt durch die Konstruktion. Zeitgemäße Forderung u. Ökonomie der Mittel bedürfen einander wechselseitig.

[1] Heiligenbild.

科“激进艺术家”的创作，这些艺术家包括伊万·帕尼[Ivan Puni]、亚历山大·罗钦可[Alexander Rodchenko]、柳博芙·波波娃[Liubov Popova]、瓦尔瓦拉·斯提帕诺娃[Varvara Stepanova]和欧尔加·罗莎诺娃[Olga Rozanova]。他们的作品见于《风格派》杂志1922年9月刊（图129、130）。凡·杜斯伯格在1922年4月开始与俄国先锋派艺术家建立私人联系，那时他正在柏林进行“风格意志”讲座。这些艺术家包括刚刚离开俄国并将要在包豪斯任教的康定斯基，凡·杜斯伯格最重要的俄国联系人李思兹基，还有一些其他参与范·迪门画廊将于10月举办

131.《风格派》1922年6月刊（vol.5, no.6）扉页，封面上印有李思兹基的文章《普荣》及文章配图。同年的另一本《风格派》杂志（这一期杂志制作豪华，为两期合刊，在柏林以特殊的纸张印刷）则完全围绕李思兹基抽象的且字体设计过的儿童读物《两个方块的故事》制作。

的“首次俄国艺术展览”的艺术家们——这是第一个在西方举办的俄国先锋派艺术展览，展览在1923年4月28日到5月28日在阿姆斯特丹市立博物馆再次展出。李思兹基跟随着此展览造访荷兰，在荷兰的许多城市开设讲座。在这期间，他结识了很多荷兰艺术家和建筑师，包括欧德（李思兹基非常喜爱欧德在鹿特丹的建筑设计）、胡札和凡·伊斯特伦。

凡·杜斯伯格在1922年6月刊的《风格派》杂志上发表了李思兹基的文章《普荣》[Proun]（图131）。李思兹基把自己这篇文章形容为“绘画与建筑之间的换乘站”，“宣告艺术与生活的离异无效”。这无疑与凡·杜斯伯格本人在传播风格派期间的观点相契合，即将绘画应用到建筑当中。

然而，到1924年年中时，两人都意识到各自观点的转变，他们各自怀有的艺术抱负使这种转变日益加剧。他们的合作及友谊最终以彼此憎恶为终结：李思兹基发表了一篇文章痛击凡·杜斯伯格，后者也在《风格派》中以粗暴的措辞回击。

1926年，李思兹基再次前往荷兰，那时接待他的是斯坦姆，后者当时是李思兹基最为亲密的荷兰联系人。斯坦姆把李思兹基引荐给里特维尔德，带他参观了施罗德住宅。根据李思兹基的遗孀索菲·李思兹基-屈柏[Sophie Lissitzky-Küppers]回忆，李思兹基“基于施罗德住宅所带来的灵感”创作了很多草图，并把这作为范例在高等艺术及技术实验室[Vkhutemas]（俄国重新组建的艺术设计学校）的课堂上进行讲解分析。李思兹基在一篇1926年于一本俄国杂志上发表的文章中介绍了施罗德住宅及里特维尔德和施罗德夫人合作设计的其他建筑。这些作品还在1927年莫斯科首个（可能也是唯一一个）国际现代主义建筑展览中展出。

凡·杜斯伯格与莫霍利-纳吉的关系并没有像他与李思兹基的那样富有竞争性（虽然莫霍利-纳吉被格罗皮乌斯邀请，成为包豪斯的全职

132

133

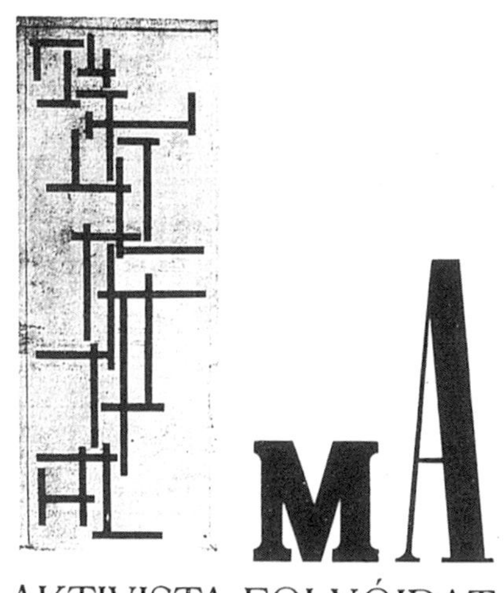

老师，而这一直是凡·杜斯伯格梦寐以求的职位）。一直到凡·杜斯伯格去世，他们都保持着相对紧密的联系。莫霍利-纳吉的重要文章《制造与复制》[Production and Reproduction]发表于《风格派》杂志1922年7月刊，文章旁附了一张莫霍利-纳吉的作品图片，还有两位匈牙利艺术家拉兹洛·佩里[László Péri]和拉霍斯·卡萨克[Lajos Kassák]的作品。拉霍斯·卡萨克也是一名字体设计师和作家。1922年夏，莫霍利-纳吉写信给欧德："曾经我以为凡·杜斯伯格仅仅是蒙德里安的代言

132. 拉霍斯·卡萨克，形式一建筑［Form-architecture］，收录于1923年的《*MA*》杂志。卡萨克曾制作一系列版画、油画及字体设计创作，这些作品均使用了胡札发表于《风格派》1918年4月刊（vol.1, no.6）的浮雕版印刷（见图35），以发展一种创造性的、简洁的抽象形式。

133. 提奥·凡·杜斯伯格，《*MA*》杂志1922年7月刊封面。这一期杂志封面给凡·杜斯伯格的作品留出了许多空间。在建立之初，《*MA*》杂志是有着表现主义倾向的，后在1921年转而关注构成主义。风格派杂志与《*MA*》的紧密关系可能是由莫霍利-纳吉维系的，他在1921年开始担任《*MA*》杂志的德语编辑。（两杂志的关系也可能是由胡札维系的。）

134

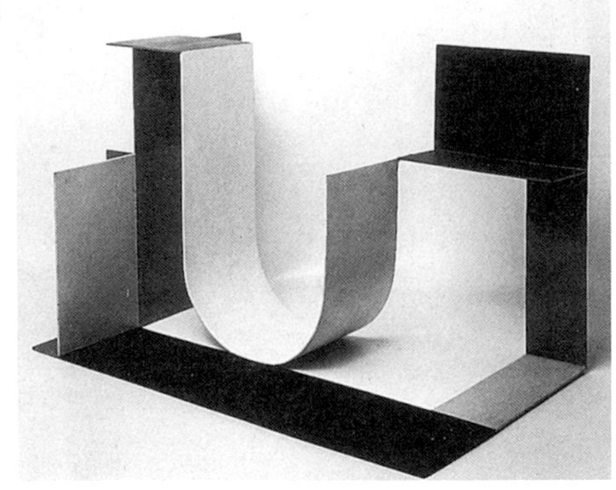

135

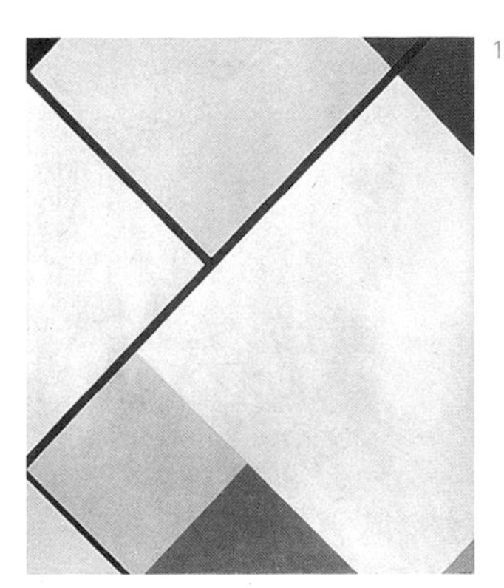

人。如今我发现，凡·杜斯伯格比蒙德里安更有活力，对当下也有更清醒的认识（我这么说并不是要做什么定性的判断）。”

凡·杜斯伯格一直想在风格派和中欧艺术群体之间建立联系，而莫霍利-纳吉则为两者建立了一座桥梁。风格派的思潮在匈牙利通过卡萨克编辑的杂志《MA》（今日）得到了广泛的关注与传播。1919年，匈牙利苏维埃政权战败后，杂志转而在维也纳出版（图132、133）。

风格派同时也在捷克和南斯拉夫的现代主义运动中得到传播，但最重要的中欧据点是波兰，波兰构成主义艺术家和设计师群体以最富创造力的方式吸收了风格派的理念。在亨里克·斯塔夫斯基[Henryk Stazewski]、弗拉迪斯拉·斯特明斯基[Władysław Strzemiński]和卡他那詹那·阔布拉[Katarzyna Kobro]的绘画及雕塑中能看到融合了风格派及俄罗斯影响的理念（斯特明斯基和阔布拉都是马列维奇在高等艺术及

134. 卡他那詹那·阔布拉《空间构图 4》，1929年。阔布拉在1929年写道，凡·杜斯伯格在建筑中的配色设计实验“为平面和立体的雕塑构成提供了空间性的解决方案”。

135. 西萨·多米拉，《新造型构图no.5》，约1925年。

136. 现代艺术国际收藏，艺术博物馆，罗兹，1932年。左上角为凡·杜斯伯格的《反构图XV》（1925年），右下方则是胡札的《女性坐像》（1926年）。

技术实验室的学生）（图134）。风格派作品被刊登在《方块》[*Blok*]、《在场》[*Praesens*]、和《*a.r.*》（来自于“revolutionary artists- real avant-grade”，意为革命性的艺术家—真正的先锋派）等杂志上。凡·杜斯伯格也和波兰艺术家及建筑师保持着联系。斯塔夫斯基、斯特明斯基和阔布拉与作家朱利安·普利兹波斯[Julian Przyboś]和扬·布里泽克斯基[Jan Brzekowski]一起在罗兹建立了艺术博物馆[Museum Sztuki]（图136）。这座博物馆与纽约的现代艺术博物馆[Museum of Modern Art]几乎是在同一时间建立的，两座博物馆都专注于现代主义及其历史，这对战后波兰现代艺术发展造成了深远的影响。艺术博物馆收藏的作品数量不多，但富有代表性。就像纽约的古根海姆博物馆（它的首个名字是“非客观艺术博物馆”）一样，艺术博物馆最初仅收藏抽

136

137

137. 弗里德里克·基斯勒《空间中的城市》，1925年。风格派在1925年的巴黎艺术设计展览上被荷兰馆拒之门外。但是，在剧场相关展览的奥地利区域的这一件乌托邦式《空间构成》与风格派群体中里特维尔德等人的设计非常相似。这件作品成为日后现代主义展览、剧场设计及陈列设计的经典范例。

象艺术——凡·杜斯伯格捐赠了自己最重要的反构图作品之一。博物馆也收藏了胡札、万东格洛、德国构成主义艺术家福海德·弗迪姆贝格-吉尔德瓦特[Freidel Vordemberge-Gildewart]、阿普和陶伯-阿普的绘画作品。

在凡·杜斯伯格与蒙德里安的关系于1925年前后破裂之后，凡·杜斯伯格开始在国际先锋派艺术家中寻找新的合作者，包括多米拉（图135）、弗迪姆贝格-吉尔德瓦特、布朗库西和奥地利艺术家、设计师弗里德里克·基斯勒[Frederick Kiesler]。基斯勒的作品看起来与风格派后期的理念非常相似。他最早学习建筑并曾经为卢斯工作，1926年，基斯勒移民美国，并一直与凡·杜斯伯格保持联系，直到后者去世。基斯勒在美国现代主义的发展过程中扮演了极为重要的角色，尽管他的重要性直至最近才被史学界认可。他为卡雷尔·恰佩克[Karel

Capek]在1923年4月于柏林首演的戏剧《R.U.R》设计的舞台被刊登在同年5—6月的《风格派》杂志上。1925年末，凡·杜斯伯格发表了一篇宣言和一篇由基斯勒撰写的有关展览设计系统的文章，另附有五张作品图片（图137）。他的戏剧舞台设计作品被刊登在1928年《风格派》十周年特刊中，其中还有基斯勒撰写的数句格言："自由空间中的张力体系。都市中的空间变化。没有地基就没有墙。脱离地面，压制稳定的轴系。通过为生命创造新的可能性，一个新社会得以发展。"由此看来，凡·杜斯伯格对于基斯勒的作品拥有着极大的热情与兴趣这一点并不令人感到惊讶。1923年，凡·杜斯伯格从维也纳以他的笔名波瑟特在《梅卡诺》杂志中发表宣言"面向一种构成性诗歌"[Tot een constructieve dichtkunst]——"一个城市就是一个水平的张力和一个垂直的张力。除此之外再无其他。两根连接的线就是城市的形象。"

138

138. 康内利斯・凡・伊斯特伦及提奥・凡・杜斯伯格的私人住所模型，1923年。两人身后的是凡・杜斯伯格在1923年初帮助伊斯特伦为阿姆斯特丹大学大厅所做的学位设计创作的配色方案。

第十章 | 风格派在法国

1923年，在凡·杜斯伯格搬至巴黎之后，法国成为了风格派活动的主要舞台，尽管德国与欧洲中部地区更为支持风格派的运动。1918年之后的巴黎艺术界对抽象艺术充满敌意，他们认为风格派、蒙德里安及凡·杜斯伯格的艺术倾向激进且冷漠。几乎就在战争结束之时，风格派对让·谷克多提出的“恢复秩序”及艺术风格上的“倒退”（对于现代主义者而言的倒退）做出了攻击，谷克多鼓吹推崇艺术中的装饰性元素及具象再现形式，这种互相敌视的状态从未得到改善。1925年，蒙德里安在《风格派》杂志上发表了《随风飘逝》[De huif naar den wind]一文，文中猛烈地批评了这种潮流。文章旁有一张蒙德里安在工作室中的照片，他面容严肃，穿着惯常的素色西装，直挺挺地站在一张这个时期典型的极简主义绘画旁，手中拿着香烟——这是一个经典的不妥协、非波西米亚式抽象绘画英雄的形象。

对于蒙德里安来说，工作室不仅是创作作品及建立个人艺术家形象的地方，也是让评论家、策展人及其他艺术家来鉴赏作品的地方——他的作品很少在巴黎展出。1919年夏回到巴黎后，蒙德里安开始在位于库尔米耶大道的工作室内部进行某种室内设计、装潢工作，他在墙上及家具上涂绘颜色，这些设计并没有被记录下来，只有后期在启程大道的工作室有图片记录。然而，从蒙德里安个人的描述及一位荷兰记者在1920年的报道来看，在墙面上绘制的彩色方块似乎与凡·杜斯伯格及胡札的早期室内空间颜色搭配相近，他可能是从照片及草图中看到两人的颜色设计方案的。

在这段时期，蒙德里安必定视艺术家工作室为一种理想环境。他在1919年12月写给凡·杜斯伯格的书信中说，他前去欣赏了库尔贝的名画《画室》；在凡·杜斯伯格于1920年2月暂住在他巴黎的住所时，蒙德里安曾在《林荫大道》[Les Grands Boulevards]一文中写道："立体主义画家在大道上，库尔贝在工作室里，柯罗在风景中……所有事物都在其正确的位置上。"

1921年，蒙德里安搬到了蒙帕纳斯车站附近的启程大道上，租下了两个由走廊和楼梯连接起来的房间。一间房是厨房及卧室，另外一间则是工作室。由屏风隔开的厨房—卧室中有维持日常生活所需的物品：简易厨具和梳妆用品。据访客和朋友们回忆，蒙德里安的床边挂满了色情图片，上面都是半裸或全裸的女性。但是，工作室里完全没有这种具象的、再现性的图像。这一点与在库尔米耶大道的工作室的室内陈列设计相似。但蒙德里安常在此处做各种变动，有时这些室内设计、陈列的变动与他正在创作的架上绘画相似，有时则是为未来的画作做准备。工作室空间是不对称的，是一个有五面墙的奇怪空间，而蒙德里安通过以不同的方式摆放家具来打破这个空间的不对称特性——有时候家具会与墙面呈直角关系。其中有一个黑色大橱柜，以及一个白色的画架，这两个物件常并排出现以形成某种隔断，这隔断后可能会放一张沙发，或是一张床。他将上了色的石膏板或空白画布挂在墙上，在这些方形色块之间放满画作或未完成的画稿。橱柜旁的大画架上还有一些彩色方块。在背后的墙前有一个小画架，有时候蒙德里安会把完成了的作品放在这画架上做展示，有时候这个画架就空荡地立在工作室中央，就像是某种构成主义雕塑一样。事实上，他从不在任何一个画架上作画，而是在房间中的一张桌子上平放画布，在其上作画。地上有两张地毯，一张是灰色的，另一张是红色的。蒙德里安在这个工作室内拍摄了许多照片，记录了工作室的许多不同陈列设计方案，他有时也将这些照片发送给杂志以便再现（图147）。很明显，他把工作室内部视作是一种独立的艺术作品，应当为了后世流传而用照片记录下来。在这个方面，他影响了包括多米拉、法国人菲利克斯·戴尔·马勒[Felix del Marle]和尚·霍林[Jean Gorin]、比利时人约瑟夫·皮特斯[Jozef Peeters]等艺术家，他们在拜访了蒙德里安的工作室之后也以相似的方式处理自己的工作室内部空间。

凡·杜斯伯格在1922年9月于德国生活时曾写信给阔克："在巴黎，所有事物都已经死掉了。蒙德里安因此受了不少苦。我知道，如果他能认识到这一片反动的土地不可能再催生什么新事物的话，他一定会更加好过。我相信，新的文化区域在北方。"然而，1923年，凡·杜斯伯格声称巴黎仍然是欧洲文化的中心，而在国际上有声誉的或在欧洲大陆上有名声的事物要不是产生于此，就将要来此接受巴黎的评判。自1918年起，《风格派》杂志便可在巴黎市内买到，塞维里[Servirini]可能作出了巨大贡献。因为杂志中的大部分文章都是用荷兰语写就的，杂志的影响力应当主要来自于其中的插图。直到蒙德里安的小册子《新造型主义》及凡·杜斯伯格的《古典—巴洛克—现代》在1920年于法国发行时，法国艺术家及评论家才开始广泛接触风格派的理论。

在法国出版的《风格派》杂志中，为法国公众带来最大影响的作品可能并不是蒙德里安、凡·杜斯伯格及凡·德·列克等人的绘画，而是胡札的作品。他有大量的商业平面设计经验；他在经过仔细的计算后设计出的《风格派》杂志封面强有力、简洁，其中的不对称形式与"前后景"视觉调换的处理方法一同为杂志带来强大的视觉冲击力。尽管早期《风格派》杂志是以黑白双色在低质量纸张上印刷的，却丝毫不减这封面设计的魅力。胡札的画作《静物构图（锤子与锯子）》（1917）是《风格派》杂志中仅有的两张彩色照片的其中一张[另一张是李思兹基的《两个方块的故事》（1922）]。在看到《风格派》杂志胡札的作品时，法国画家费尔南·莱热[Fernand Léger]率先赞美了这些作品的

“动态潜力”。我们几乎可以确定，这些作品对莱热的战后绘画创作有直接的影响。

1923年秋，在罗森贝格画廊进行的风格派展览中并没有任何油画、雕塑或家具作品，而只有照片、素描、建筑模型及室内空间模型，以及最先进的风格派颜色理论（图138、139、104）。只有在凡·杜斯伯格和凡·伊斯特伦的合作设计中才有绘画作品出现。在第一次世界大战爆发后的数年内，罗森贝格成为了巴黎最具影响力的先锋艺术画商。他喜欢艺术家之间合作，也青睐与建筑师合作完成的纪念碑式艺术。他将战后立体主义艺术的发展视作是合作的领导力量，也一直支持那些有着合作倾向及建筑风格的艺术家们。此人对于建筑以及室内空间的关注与凡·杜斯伯格的理念相契合；而在罗森贝格画廊展出风格派的艺术理念及成果，也就是说，在欧洲艺术中心的知名画廊进行展览，这对风格派来说是一次良好的机会。

在凡·杜斯伯格仍居住于荷兰及德国的时候，蒙德里安曾为罗森贝格及凡·杜斯伯格进行联络工作。尽管罗森贝格曾在1921年的两次群展中展出过蒙德里安的一些作品，只有一张作品售出（收藏作品的是廓勒-缪勒女士，画廊最重要的客户之一）。尽管罗森贝格在对作品有足够信心时会买下作品，但此时的他并没有打算这样做。他也并不打算为蒙德里安举办个人展览，尽管他曾如此对蒙德里安许诺。（蒙德里安在巴黎的首个个人展览于1928年2月举办于让·布歇画廊[Jeanne Boucher gallery]。）蒙德里安逐渐退出了关于风格派群体展览的讨论。他也受够了凡·杜斯伯格关于艺术与建筑的野心。因此，此次风格派展览中并没有任何一件蒙德里安的作品。

1923年初，凡·杜斯伯格从罗森贝格处收到明确的展览协议，约定当年秋季举办展览。这个展览名为“风格派建筑家”[Les Architectes du groupe de Stijl]。但当时风格派群体的建筑项目大多数仅存在于草稿之上，而风格派事实上从来也不是一个紧密的艺术群体，因此在展览中加入实现了的建筑项目的照片是必要的，也必须要加上未实现项目的模型或草图。

凡·杜斯伯格在与欧德决裂后（后者曾参加早期的工作）便开始接触维斯及里特维尔德，然而这两人并未提交任何确切的展览方案。1923年3月末，他终于确定了与凡·伊斯特伦的合作计划。他们两人于1922年在魏玛相识，凡·伊斯特伦当时依靠一笔助学金在当地生活。凡·杜斯伯格因此得以与建筑师进行更野心勃勃的合作创作，而不像之前与欧德或德·博尔的合作。尽管凡·杜斯伯格与凡·伊斯特伦的合作项目野心勃勃，但这些设计就是彻头彻尾的“纸上建筑”或“理想化建筑”，根本不可能被实现，但也因此不必考虑任何实际操作层面的问题。这些合作设计工作日后成为了现代主义的标志性设计，超越了风格派众多合作项目的影响力局限，得以被广泛地传播、崇拜，能与之相比拟的可能只有黎明宫项目及施罗德住房项目了。这些项目在现代建筑史中的持久影响力或许应当归功于草图绘制过程中使用的轴测法动态投射方式。凡·杜斯伯格与凡·伊斯特伦一同复兴了这种古老的绘图方式，使它获得新的现代特性及生命力。对于凡·杜斯伯格来说，这种投射构图启发了一种绘画理念，尤其为这样一种艺术方向带来了新的可能：那就是通过二维的手段创造出动态的三维空间再现甚至是四维再现。通过夸张但有效的方式使用原色，这一系列草图与当时的图片复制手段相契合，也与今天的现代建筑及设计历史图片复制手段相契合。

139. 罗森贝格画廊展览“风格派建筑家”，巴黎，1923年秋。“私人旅馆”的模型（前景中部）是里特维尔德制作的，他并没有过多地改动凡·伊斯特伦的设计方案。“艺术家之家”即是私人旅馆背后的模型；“私人住宅”是最左手边的模型。除了凡·杜斯伯格/凡·伊斯特伦的模型之外，展览中也有维斯、欧德、胡札、里特维尔德等人的作品，另有乌得勒支艺术家凡·勒斯登[Van Leusden]的作品，他提交了一些了不起的小型都市建筑结构模型（中部偏左）。

凡·杜斯伯格及凡·伊斯特伦在1923年夏季开始工作，为三个想象的或“理想”的住宅制作设计图、彩色草图及模型，三个住宅分别为：一个艺术品收藏家的别墅——“私人旅馆”[the Hôtel particulier]；一个中产阶级家庭住宅——“私人住宅”[the Maison particulière]；一个艺术家的家庭工作室——“艺术家之家”[the Maison d'artiste]（图139）。“私人旅馆”的设计几乎完全依赖于凡·伊斯特伦（尽管里特维尔德制作了建筑模型并稍微修改了设计），“私人住宅”是一个相对平等的合作，而“艺术家之家”则主要是由凡·杜斯伯格设计的。凡·伊斯特伦为“私人旅馆”进行的设计工作展现了他对于现代主义建筑实践的深刻理解。从这个设计方案可以看出他非常熟悉最为“先进”的德国建筑师的实践——比如密斯·凡·德·罗的实践，非常熟悉由李思兹基引入德国的最新俄国建筑理念，还非常熟悉早期风格派建筑的形式语言——比如万东格洛的雕塑或是里特维尔德的家具。但凡·伊斯特伦的设计方案并没能超越这些理解，而仅是这些成分的高度整合。其他的两个设计方案则达到了某种新的高度。

在《论一种集体构成》中，凡·杜斯伯格宣布了毁灭时代的结束及构成年代的到来。在为“私人住宅”创作的彩色草图中，他使用了积木一般的颜色平面，并以此构建高度复杂的空间结构（图104）。这种理念在随后的“私人住宅”及“艺术家之家”建筑模型中得到了发展（图138）。“私人旅馆”的建筑结构为一系列松散地围绕着一个方形游泳池建设的建筑群，有明确的前后立面之分；而其他两个建筑则没有明确的建筑朝向。每一个墙面被给予了同等的重要性。

在“私人住宅”中，两人旨在揭示一种“离心空间”的发展。从房子中心、楼梯井到建筑边缘——他们想要创造一种离心结构，不同的房间组成松散、独立的单元，这些单元通过不同层高的楼梯和楼梯平台互相连接。

凡·杜斯伯格为“艺术家之家”创作的许多“反构成”彩色草图中，只有一幅保留了下来。这幅草图和一幅立视图都是以相对唐突且简略的方式完成的，这意味着他可能并没有为这个项目创作太多精致的彩色草图。他已在早期草图中进行大量“实验性”工作，因此在处理“艺术家之家”的时候他可以相对贸然地进行实际设计工作。在这里，立方形的房间以离心形式围绕一个中央核心空间发散开，楼层关系因此变得难以辨认（图139）。

尽管我们可以确认凡·杜斯伯格和凡·伊斯特伦两人合作时的侧重点不同，三个住宅留存下来的建筑草图及模型仍然不仅是风格派合作项目的经典案例，也是20世纪现代主义合作创作的典范。尽管如此，可能是因为这些项目的原创性，这些建筑方案从未得以实现。

巴黎公众对罗森贝格画廊的风格派展览褒贬不一。凡·杜斯伯格所期待的热烈讨论和赞扬并没有出现，许多重要的法国评论家及建筑师直接忽视了这个展览。但这展览并不像人们常认为的一样遭受的全是恶评。《人性》[*L'Humanité*]、《艺术之爱》[*L'Amour de l'art*]及《建筑》[*L'Architecture*]等不同性质的杂志大篇幅地报道此次展览。尽管这些媒体抱怨展览作品过于抽象，包含太多直角元素，没有足够的柔软弧形，他们仍然赞扬了展览的许多优点，并指出展览中有很多可供建筑师及设计师学习的地方，而人们的确从中学习了许多。勒·柯布西耶与风格派保持距离，甚至有一种敌对态度。然而，在他的创作中清晰可见罗森贝格展览带来的影响。相应地，凡·杜斯伯格个人的建筑理念及机器美学理念则与勒·柯布西耶的理念有着共生的关系，也是对后者的回应。

1920年7月，凡·杜斯伯格指引风格派群体关注新创立的《新精神》杂志，提出：“杂志总监保罗·德米[Paul Dermée]联系了《风格派》杂志的编辑，并提到了合作的可能性。”《风格派文学宣言》出现于1920年10月第1期《新精神》杂志，但并没有附上评论文字。直到《新精神》杂志第7期才将蒙德里安及凡·杜斯伯格列为“合作者”。（德米在《新精神》杂志的头两期中担任了总监，后因其与达达主义的亲密关系而与勒·柯布西耶及奥占芳决裂。）1921年，蒙德里安为《新精神》贡献了一篇关于新造型主义及未来主义噪音音乐的文章（这篇文章首次以德语译文发表于《风格派》杂志），而奥占芳和柯布西耶拒掉了这篇稿子。（这篇文章后发表于另一家法国杂志《文艺生活》[*La Vie des lettres et des arts*]的1922年4月刊。）勒·柯布西耶和奥占芳的确在公开场合表现了对于风格派兴趣索然，对包豪斯及俄国前卫艺术及建筑也鲜有兴趣。他们拒绝了李思兹基、蒙德里安及凡·杜斯伯格的投稿。

勒·柯布西耶、莱热及建筑师罗伯特·马雷-史蒂文斯[Robert Mallet-Stevens]及索尼娅·德劳内及许多其他人都参加了罗森贝格画廊风格派展览的开幕式。可能是为了表现他不是一个“纸上建筑师”，而是真的在盖楼，勒·柯布西耶为他没刮胡子、穿着脏衣服前来开幕式感到抱歉，声称他是刚刚从建筑工地赶来的。无论他如何在公共场合表现自己对于风格派的态度，他一定是在创作中受到了风格派展览影响的。参观过展览后，他随即改变了当时正在创作的拉罗什公馆[Villa La Roche]的设计样式，在建筑中开始使用颜色。一开始，他只使用更为轻柔的“纯粹主义”颜色，在1933年的巴黎救世军青年旅店也仅使用了原色。1923年后，勒·柯布西耶也开始在设计草图中使用轴测投影绘图法。

罗森贝格画廊展览开幕数月前，马雷-史蒂文斯为马歇尔·雷比耶[Marcel L'Herbier]的未来主义电影《无同情心的女人》[*L'Inhumaine*]设计了布景（图140）。其中的一些布景，尤其是电影中工程师实验室的外部空间（内部空间是莱热设计的），在风格上与早期风格派建筑及设

140

140. 罗伯特·马雷-史蒂文斯，为由马歇尔·雷比耶导演的《无同情心的女人》设计的工程师实验室外景，1923年。尽管他是在罗森贝格画廊展览前创作的这个布景，他肯定通过《风格派》杂志插图对风格派设计有所了解。

计非常相似。然而，马雷-史蒂文斯从未将凡·杜斯伯格或凡·伊斯特伦更为复杂的空间理念纳入自己的建筑实践之中。他似乎认为早期风格派富有体积感的纪念碑形式更接近他的个人理念及实践，或更容易被实现（图141）。

1924年，在巴黎建筑专业学校举办的一次展览纳入了大部分风格派作品，其中还包括法国建筑师的作品（马雷-史蒂文斯可能对此展览有推动作用）。这一次，法国公众给予了更为完整及热切的回应。“法国人仍然不能和荷兰人的高超技艺相提并论，他们继承了风俗画大师的血统。”一位评论家在《建筑》杂志中这样写道。这次展览在荷兰大众及专业媒体中也引起了颇大的反响，展览场地的半官方性质也体现了这样一种现象：即法国全面地接受了风格派，尽管事实并非如此。让凡·杜斯伯格悔恨的是，1925年装饰艺术展览的荷兰国家场馆将风格派拒之门外，反而推举了“扭转”团体，或称阿姆斯特丹学派。

1925年末，波兰艺术家维克多–雅娜嘉·波茨南斯基[Victor-Yanaga Poznanski]在巴黎组织了当地最大型的风格派绘画展览——“今日艺术”。这次展览尝试呈现一种不同于一般战后艺术展览的视角，聚焦于抽象艺术这一绘画门类。展览中有凡·杜斯伯格、蒙德里安、胡札、多米拉及弗迪姆贝格–吉尔德瓦特等人的作品。因其同时展出了风格派前期成员及现存成员的作品，这是有史以来最为全面的风格派绘画展览。展览开幕时还演奏了美国前卫作曲家乔治·安塞尔[George Antheil]的音乐，当时，凡·杜斯伯格刚刚确认了安塞尔的风格派合作者身份。诺阿耶[Noailles]子爵和夫人是20世纪20年代巴黎仅有的对抽象艺术感兴趣的收藏家，他们在展览前不久刚邀请凡·杜斯伯格为两人在法国南部伊阿雷的别墅的一间房间进行色彩设计。他们在展览中购买了6张作品，其中有蒙德里安及弗迪姆贝格·吉尔德瓦特的绘画。然而，相对当时昂贵的法国绘画作品来说，蒙德里安的作品价格极低，仅为700法郎。克里斯蒂安·泽尔维斯[Christian Zervos]在刊登于《艺术笔记本》[*Cahiers d'art*]的展评中写道：“新造型（Neo-Plastic）艺术作品厌倦来源于生活感官激情的图像。凡·杜斯伯格、多米拉、蒙德里安压倒了全部自然的、人性的意义。”这种反应在当时并不罕见。

在法国，风格派一直被视作是一种以建筑运动为主的流派。希区考克关于欧德的短篇专著于1931年在巴黎出版。当时最富影响力的杂志《建筑生活》（主编为让·巴多维西，出版人为阿尔伯特·莫兰斯[Albert Morancé]，后者也曾出版《今日艺术》[*L'Art d'Aujourd'hui*]）曾全面地介绍了风格派建筑实践。该杂志在1925年发行了风格派特刊。

里尔地区的杂志《愿望》[*Vouloir*]也曾刊登风格派艺术家作品的

141. 罗伯特·马雷-史蒂文斯，马雷-史蒂文斯街上的住房，巴黎，1927年。这个死胡同位于欧伊特[Auteuil]的富有郊区，后来以马雷-史蒂文斯命名。这幢为法国中产阶级客户设计的建筑使用了风格派早期形式语言。

◀ 141

插图、蒙德里安及凡·杜斯伯格的论文。杂志的视觉艺术编辑菲利克斯·德·马尔勒[Felix del Marle]特别钟情于蒙德里安和凡·杜斯伯格在“今日艺术”展览中展出的作品。1927年，德·马尔勒将杂志的副标题“文学与现代艺术构成”[Organe constructif de littérature et d'art moderne]改为“新造型审美月刊”[Revue mensuelle d'ésthétique Néo-Plastique]，并刊登了蒙德里安的论文《家庭—街道—城市》[Le Home-la rue-la cite]及其为比纳特进行的设计（图83）。这一期杂志的主题是“氛围”，其中也刊登了许多风格派成员的室内建筑设计成果，包括施罗德住房的照片。

与罗森贝格项目相似，黎明宫也被视作是凡·杜斯伯格的主要合作创作项目之一（图105、142—147）。这是一个非常大规模的项目：凡·杜斯伯格需要重新设计并装潢斯特拉斯堡主广场上的一幢大型建筑综合体的室内空间。不管是作为军事还是民用建筑，这一历史悠久的建筑都有着许多功能。建筑最古老的一部分建于13世纪。军事建筑师弗朗索瓦·布隆代尔[Fraçnois Blondel]曾在1764年至1767年间大规模更改了建筑的结构，在重建过程中他将位于克勒贝尔北区的建筑完全封闭。1921年，三名斯特拉斯堡商人从市政部门处租下黎明宫的一部分，并准备将其改造成咖啡馆、餐厅、舞厅及电影院。（建筑外墙被列为历史古迹，因此不可改造。）

最初是汉斯·阿普[Hans Arp]被委托重新设计建筑的内部空间。他出生于斯特拉斯堡，而他的妻子苏菲·陶伯-阿普曾为其中一位商人做过室内设计。阿普夫妇自觉不能满足建筑项目的要求，便向凡·杜斯伯格求助，后者随即成为了项目的领导。各方在1926年秋商讨合作协议，而项目的大部分设计工作完成于1927年2月。一年后，室内设计工作完成，建筑开始对公众开放。

作为一个公共委托项目，黎明宫在规模上可与罗伯特及索尼娅·德劳内在1937年巴黎世界博览会上完成的巨大壁画或布朗库西在罗马尼亚特尔古日乌完成的巨大雕塑群相提并论。凡·杜斯伯格曾描述这建筑项目为“整体艺术”（gesamtkunstwerk）：“这是我们珍藏多年的计划的第一个现实成果。”尽管这一建筑不是为工人阶级设计的，而是为资产阶级设计的，黎明宫的理念如维克多·霍塔[Victor Horta]于1897年至1900年间在布鲁塞尔完成的“民众之家”[Maison du Peuple]一般雄心勃勃。与此风格相近的建筑项目还包括罗钦可于1925年“装饰艺术”展览上展出的工人俱乐部设计。凡·杜斯伯格在《风格派》杂志的黎明宫特刊中刊登了细致的建筑介绍文字及建筑的照片（图142）。他视黎明宫为风格派合作项目的重要成果，这同时也是他在建筑中色彩使用上的重要成果，这成果应当以最详尽、丰富的方式出现在《风格派》杂志中。这一期《风格派》杂志也是他在世时发行的最后一期。

凡·杜斯伯格不仅负责了整个项目的组织工作，也为项目设计了几乎所有设施——从保险丝箱、烟灰缸到碗具及杯具等。所有这些设施、器具上均印有独特的黎明宫字体（图143），参照了凡·杜斯伯格在1918年至1919年间设计的标准化字体。陶伯-阿普负责“女性”面包店、茶室（图146）及黎明宫酒吧的设计工作，阿普则以其自由、有机的“前形态主义”[Pre-Morphist]风格设计了地下的“美国”酒吧及舞厅（图147）。黎明宫的大厅及主楼梯处使用了一种抽象、几何式的装饰风格，阿普夫妇在一战时发展了这种设计风格——它与风格派几乎同时发展。凡·杜斯伯格设计了一层及二层的主要公共空间。设计草图、当时的图片记录及去过黎明宫的人的评价共同说明了一点：此建筑综合体诸多不同区域的多变风格共同创造了一种动态的关系。

在有关黎明宫的许多介绍性文字中，大楼二层的公共空间有着诸多称呼——甚至就算是在最初的设计草图中，这一空间也有许多不同的

142

142. 《风格派》杂志1928年黎明宫特刊封面。呈对角排列的“Aubette”（黎明宫）字样表明了凡·杜斯伯格坚信他在电影院—舞厅中使用的斜向元素即是整体项目的点睛之笔。此封面中的斜向元素与1920年在《古典—巴洛克—现代》封面上呈斜向排列的“Barok”（巴洛克）字样有着完全不同的意义（见图19）。

143. 提奥·凡·杜斯伯格，黎明宫指示牌，这一指示牌使用了他独创的黎明宫字体，他也专门为每个厅选用了一种独特的颜色。这一指示牌悬挂在黎明宫入口的左侧，这样顾客可以轻易找到方向。另外，每个厅中均设有同样的指示牌。

叫法。很明显，在重建的过程中，这些空间的功能一直在不断变化，设计者的确也希望这些空间能够承担许多不同的功能。电影院—舞厅（Ciné-dancing，或称大厅[Grande Salle]）同时是电影放映厅、舞厅以及俱乐部。小舞厅（Petite salle dancing，或称宴会厅[Salle des fêtes]）则是舞会、婚礼及晚宴用厅（图145、144）。尽管凡·杜斯伯格在设计电影院—舞厅时使用了名为“反构图”的新式动态、斜向元素风格，他在设计小舞厅时则使用了直角、纵横线式空间设计方法（图105），这种设计风格与矩形的空间和照亮空间的狭长窗户相称。而电影院—舞厅中的斜向方案则与方形空间中横向的走廊及纵向的窗、门形成对比。这种对比关系同时加强了墙面及天花板斜向彩色平面之间的动态空间韵律。

在进行配色设计的时候，凡·杜斯伯格同时使用了原色及间色，就像在进行早期彩绘玻璃及室内设计的时候一样。他过去几乎从未在同一个颜色系统中混用原色及间色，但是电影院——舞厅并用了二者，因此多了一种不和谐的效果。小舞厅的色调更暗，甚至使用了一些大地色。他在黎明宫项目前不久发表的一篇文章中曾建议使用大地色与原色制造反差效果。

或许因为地下层咖啡餐馆及咖啡啤酒餐馆[Café Brasserie]的挑高比较低、人流比较密集、空间相对拥挤，凡·杜斯伯格在这两个空间中使用了相对温和的配色方案。凡·杜斯伯格直接在墙面及天花板上色，各种颜色互相挤压，就像他早期的画作一样。凡·杜斯伯格或许为了临近的茶室和面包房而调整了自己的风格（图146）。陶伯-阿普在茶室及面包房处的白墙上设计了不对称但富有韵律的黑色—灰色—红色色块装饰墙面。这些色块之间有不同浓度的灰色方块，灰色方块之间又是宽大的银色线条。这种配色方案带来了一种亲密感，而不像凡·杜斯伯格的配色方案惯常的宏大感。茶室旁是黎明宫酒吧，陶伯-阿普在此处使

144

144，145. 提奥·凡·杜斯伯格，小舞厅及电影院—舞厅。在小舞厅墙面的众多色块之中（每块的高度都为120厘米——这是房间中散热片的高度）有许多白色珐琅方块。这些白色方块能够反射房间中裸露的灯泡的光，在空间中制造众多的亮点，白色珐琅方块又是由灰色横条分隔的。在电影院—舞厅中，这一切反转过来了：斜向元素画在灰泥板上，因此在这些元素之间的横条看起来就像是背景中凹进的通道，带来一种彩色浮雕的效果。

146. 苏菲·陶伯-阿普，茶室。墙上及天花板上本来要使用马赛克嵌板，但因经费问题最终仅是画上去的。在陶伯-阿普的上色草图中，这些嵌板看起来如同珠宝的表面。

145

146

147

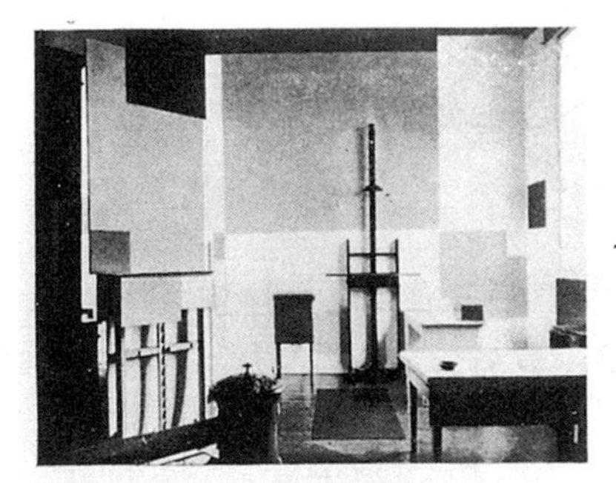

ATELIER DE MONDRIAN (EN 1925)

S. TAEUBER - ARP : BAR A STRASBOURG

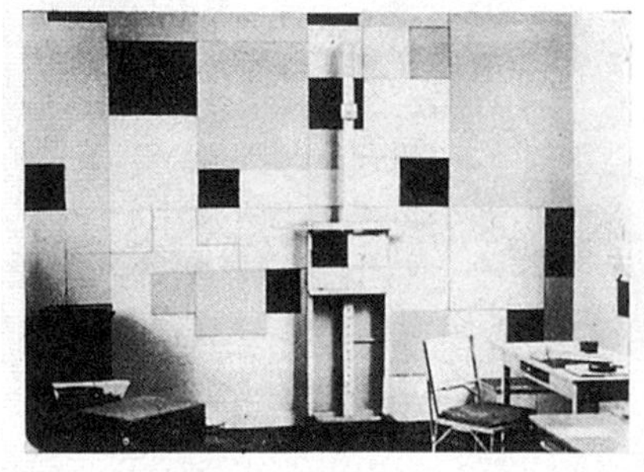

ATELIER DE MONDRIAN (EN 1930)

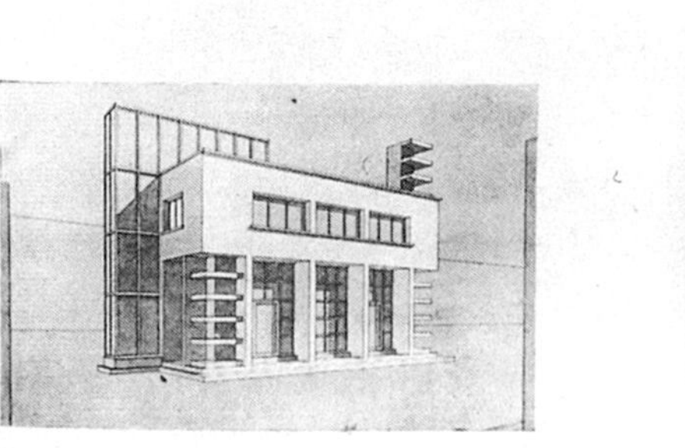

A. SARTORIS : LA MAISON D'UN ARTISAN

HANS ARP : ESCALIER A STRASBOURG

147. 《圆与方》[*Cercle et Carré*]（no.3，出版于巴黎）内页，1930年。这些图片展示了由陶伯–阿普设计的黎明宫酒吧、阿普为黎明宫楼梯设计的配色方案，以及蒙德里安在1926年（而不是1925年）及1930年的工作室。

用了许多亮色色块，其中夹杂着一些面积更大的灰色及白色色块（图147）。在地下舞厅里，阿普进行了非常自由的设计工作，用黄色、黑色及蓝灰色创造生物形态的形状。凡·杜斯伯格在《风格派》杂志中写道："既然我们这些合作者都有不同的艺术方向，我们一致同意，每个人都应当依自己的方向进行设计创作。"他也指出，地下舞厅的"灵感来自于自由发展的想象力。"

凡·杜斯伯格相信，他与阿普一同实现了他的早期理想——纪念碑式艺术："引领人们走进画中，而不是简单地站立于画作前，并以这种方式鼓励人们参与进画作之中去。"尽管斯特拉斯堡当地报纸对这一重建项目大加赞赏，法国艺术及建筑媒体完全没有报道黎明宫重建项目。《建筑生活》只字未提该项目，可能因为凡·杜斯伯格和巴多维西早在1925年的《风格派》杂志特刊出版后便已决裂。荷兰建筑媒体中唯一一篇对此项目进行报道的文章是凡·杜斯伯格自己在1929年发表于《建筑公司》的文章。希区考克在1929年出版的一本书中批评了该建筑——这在当时是非常罕见的业内人士评论："元素主义完全主导了设计方案，以至于建筑显得如此薄弱。"

自黎明宫开业以来，前来光顾的公众们便不喜欢这种设计风格。而租用大楼的投资者们从1928年11月就开始更改这些设计方案。数年后，这栋大楼的室内空间已经有了翻天覆地的变化。（尽管有的文献称这栋大楼在二战时被纳粹摧毁，事实并非如此。）1930年，这栋大楼已经面目全非了。阿普的一半设计被俗气的绘画覆盖，所有室内空间均日久失修。1938年，黎明宫投资人出版大楼建成十周年纪念册时，凡·杜斯伯格及阿普夫妇的创作已经完全消失。

凡·杜斯伯格在大楼开业前写给德·马尔勒的信中说："斯特拉斯堡黎明宫的竣工意味着视觉艺术新时代的到来。元素主义将成为无可厚非的事实。"后来，他在日记中抱怨，他完全丧失了想要通过建筑及绘画改变人们道德行为的希望，这曾是他个人在风格派及艺术和建筑方面的巨大野心。他终究要失望，这并不是什么让人惊讶的事情。

尽管黎明宫设计方案遭遇了恶评并很快被改得面目全非，项目通过照片、草图、展览及后期重建项目在现代艺术设计史中保有重要的地位。20世纪60年代至80年代的许多展览以微缩规模或相近的规模重建凡·杜斯伯格设计的两个主厅。在90年代早期，人们部分复原了电影院—舞厅。就像是施罗德住房及乌涅咖啡馆的复原工作一样，电影院—舞厅的复原工作同样进一步增强了该设计方案的名声，并巩固了其作为早期现代主义及风格派经典的地位。黎明宫曾被称作是“凡·杜斯伯格美学理念的终极体现”，及“凡·杜斯伯格与蒙德里安作品对话的最终陈述”。但是，更准确的说法或许是：这是凡·杜斯伯格风格派美学的终极体现，因为在他生命的最后三年中，他发展出了一种与风格派美学非常不同的美学理念。

凡·杜斯伯格在1929年写给巴·德·里特的书信中说：“在离开斯特拉斯堡的时候，我一贫如洗，因喝下的啤酒和吃下的阿尔萨斯腌菜而精神萎靡，受到了物质和精神的双重打击。我完蛋了，因此我要像1923年一样从头开始。”在1927年为黎明宫项目工作时，凡·杜斯伯格开始为自己和妻子设计一所工作室—住宅，其中有生活区域、工作室及为耐里准备的一间音乐室。他在1929年完成了设计方案，但是这所工作室—住宅直到1930年末凡·杜斯伯格去世前不久才完工（图148、149）。这是一栋小型的、标准化的住宅，他准备于此休养以重新对艺术世界发起进攻。这是他设计方案中唯一实现的整栋建筑，因经费不足、施工流程影响、选址怪异导致的建筑局限及自身经验不足等问题，他被迫选用了一种相对常规的现代主义建筑方案，完全不能和他与凡·伊斯特伦于1923年在罗森贝格画廊展览上提交的方案相提并论。住宅用地实在是太狭小了，不可能在此实施任何如“艺术家之家”一般大

148

149

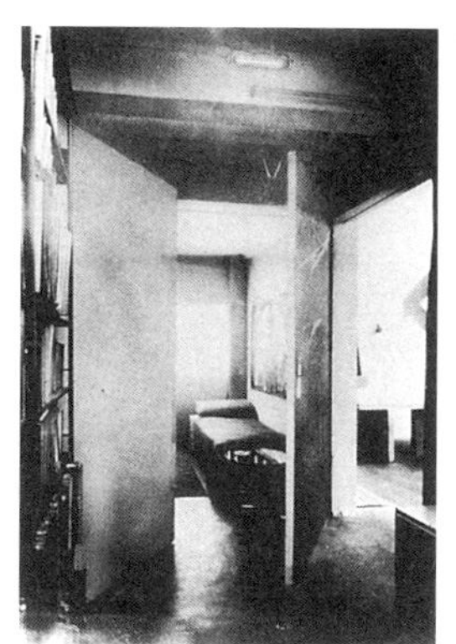

型的结构——甚至对于“私人住所”来说都太狭小了——更不要提他根本没有足够的技术知识及经验独立完成此类项目。

尽管凡·杜斯伯格在设计黎明宫大楼时便已完成了这工作室—住房的首个设计方案，他并没有在室内设计部分使用“反构图”方法。或许他终于明白，无论对于电影院—舞厅来说这是多么地合适，对于一个私人工作室—住宅来说，“反构图”方法始终过于狂乱了，在工作室—住宅中，他需要一个安静的休养空间以开展绘画和写作工作。这住房中的一个扁平的矩形混凝土结构掩盖了此处唯一的对角线构图元素——从大街上沿着建筑墙面一直延伸到二层的楼梯。

1930年12月，提奥及耐理·凡·杜斯伯格搬进此工作室—住宅。他曾希望将此处设立为新的集体活动大本营，但他只在此生活了两个月的时间。他的急性哮喘病愈发严重，1931年2月末，他和耐里一同前往瑞士达沃斯接受治疗，1931年3月7日，他突然因心脏病在瑞士去世。他

148，149. 提奥·凡·杜斯伯格，位于默东的工作室，1929—1930年。外部的建筑门窗使用原色的方式与插图103中的类似。凡·杜斯伯格也想要在建筑外墙使用更多的颜色，但是因为既缺乏时间又缺乏预算而作罢。工作室内部有可移动临时墙，因此许多彼此独立的空间可以轻易变成一个完整的大空间，就像施罗德住房一样（见图98）。

死后，耐理·凡·杜斯伯格继续在新建成的工作室—住宅中生活，直到1975年去世前一直保管着凡·杜斯伯格的档案及文献。他们的家现属于荷兰政府，20世纪80年代修复后用于接待尼德兰区域的访问艺术家及访问学者，为他们提供住宿及工作空间。

凡·杜斯伯格曾以自己的个人视角编纂风格派的发展历史，此系列文章曾于1929年发表于瑞士期刊《新瑞士评论》[*Neue Schweizer Rundschau*]上："这一年，风格派内部的许多意见分歧得以解决，风格派群体的艺术家们因此得以在世人面前以一个组织的身份出现，这组织也有另一个出版物（《新计划》[*Nouveau Plan*]）。"他在死前曾与蒙德里安及欧德重新建立联系，尽管其他两人似乎并没有继续合作的意愿。虽然凡·杜斯伯格尝试强调风格派仍然是一个活跃的艺术团体，他生命最后的绘画创作及建筑设计都表明他远离了风格派的原则，甚至远离了元素主义风格以及"反构图"方法。最后，凡·杜斯伯格尝试去寻找一种可以通过数学的、系统的构图方法创作出来的"普世性"艺术（图150）。

他曾在抽象作品中多次使用类似的方法，从早期的彩绘玻璃作品到为"火花"青年旅社设计瓷砖等都有类似的构图手法。但是，在过去，尤其是在架上绘画作品中，他通过在作品中加入直觉性元素改变了这种"数学的、系统的"构图方法。1929年，他相信绘画构图及建筑设计能够同样地通过系统的、理性的原则完成。他曾写信给阔克，指出他在"尝试实现一种普世性形式，这种形式与我的精神理念绝对契合。"

凡·杜斯伯格在1929年许诺的新出版物（出版物最后定名为《具体艺术》而不是《新计划》）及"组织"在1930年成立。这个新运动的目标是基于凡·杜斯伯格的新"普世性"原则建立的。除了法国艺术家让·埃利翁[Jean Hélion]之外的团体成员都是无名小卒，而新出版物也仅发行过一期。但是，1931年2月份在凡·杜斯伯格新家进行的一次会

150

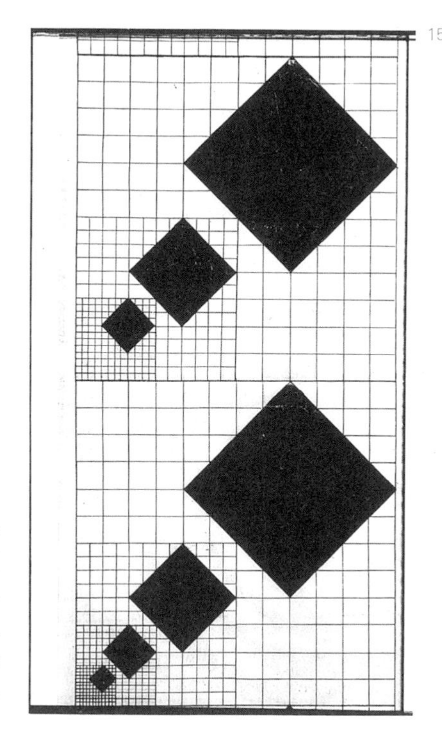

150. 提奥·凡·杜斯伯格，《普世性形式的起源，No.11》，1929年前后（细节）。凡·杜斯伯格刊登在德国《形式》[*Die Form*]杂志1929年5月刊上的文章《纯造型电影》[Film als reine Gestaltung]将画作描述为电影的分镜头脚本。

议催生了重要艺术团体“抽象—创造”[Abstraction-Création]。

1932年，耐理·凡·杜斯伯格主持了《风格派》杂志纪念特刊的编辑工作。这一期杂志中包含了一篇凡·杜斯伯格生前未发表的宣言。凡·杜斯伯格在其中写道，艺术家工作室应当像是一个医学实验室，其中有足以杀死微生物的高原气候。黎明宫项目遭受公众抗拒，也未能在法荷两国引起严肃学术讨论，更未能为凡·杜斯伯格带来任何其他的委托设计工作——他通过这样的宣言表达了自己对此状况的愤怒。另外，这篇宣言也表明，凡·杜斯伯格日渐严重的哮喘病为他的精神带来巨大影响。他在1930年写道：“环视四周，我们只能看见一些粪肥，在粪肥中，污物和微生物得以生长。”他在宣言中对于“白绘画”的召唤代表了一种对于纯粹及清洁的疗养院的向往，这种向往比国际风格建筑运动的“卫生崇拜”更为极端。

在他死前9个月，凡·杜斯伯格成为了一名天主教徒。现存于海牙凡·杜斯伯格文献库的证书说明，1930年6月13日，他曾在神职人员的见证下痛斥“路德教派的异端邪说”。于他死前建成的默东工作室—住宅事实上看起来就像是一个隐士的居所，或是一个小型修道院结构的建筑。凡·杜斯伯格曾在许多年前为“火花”进行室内设计时曾写道，这样的建筑可以创造“一种与上帝直接交流的关系”。

在风格上，凡·杜斯伯格的工作室—住宅看起来就像是欧德最后的国际风格的建筑项目——克夫霍克教堂。两者都是嶙峋的、突兀的，看起来都像是车库。其中一个主要的不同是，欧德的建筑是为了严苛的加尔文教派设计的。

151

151. 提奥·凡·杜斯伯格《构图》，1928。在这个时期，他在有意地创作古怪的、失衡的、不和谐的作品，以扭曲或“解构”常见于蒙德里安同时期非对称但不失衡的作品的平静、和谐特性。《构图》是画在画布背后的，画框也是画面的一部分。

尽管在大部分情况下，法国不如德国或欧洲中部国家那样支持风格派运动，凡·杜斯伯格直到死前一直生活于法国，而蒙德里安因惧怕德国轰炸及占领而逃离了巴黎。两人都相信，尽管法国的情况很困难，比起荷兰还是有更多的机会。“在巴黎，所有事物都只是昙花一现。势利小人占着上风，而所有的‘艺术家’不过是得了势的人，以垃圾一样的作品赚着大把大把的钱。”凡·杜斯伯格在1929年写给德·里特的信中说：“但是，相对来说，关于我的展览，我没有什么好抱怨的。我被单独提出来讨论，虽然他们说的都是些蠢话。”撇开泽尔维斯团体占主导地位的批判性反应不谈，凡·杜斯伯格后期的理论及实践对于他死后十年内巴黎的抽象艺术来说非常重要（图150）。“抽象—创造”团体大力发扬了他的理论，并在1934年为他举办了个人作品回顾展览。

蒙德里安的状况在1925年得到好转，但这并不是因为法国学术界开始关注他了，而是因为德国和美国两地对其创作的关注。1938年9月回到伦敦后，他写了封信给他的好友——瑞士建筑师艾尔弗雷德·罗特［Alfred Roth］：“作品销售还是老样子——但人们开始理解我的作品了。在伦敦画廊，我得以和构成主义群体及超现实主义群体一同进行展览。媒体意识到了这件事，在巴黎，这从未发生过。”

152

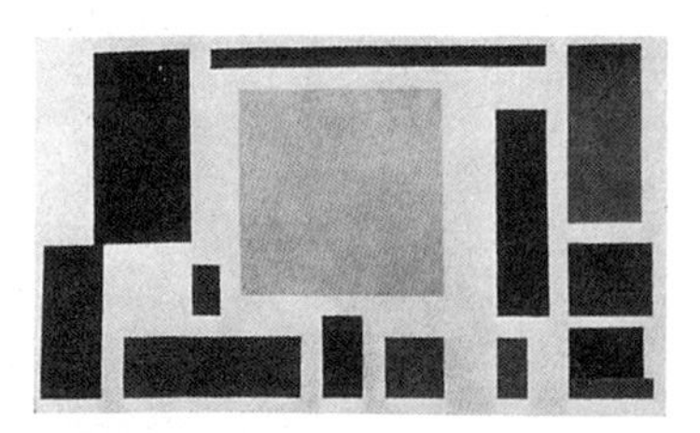

Plate 21 Van Doesburg: Composition (The Cow), 1916/17. Oil on canvas, 14¾×25". The Museum of Modern Art, New York

Plate 22 Gropius: Director's House, Bauhaus, Dessau, 1926

INFLUENCE OF DE STIJL ABROAD

As is indicated in the chronology, the years 1920–1925 saw an astonishing expansion of the influence of de Stijl, first in Belgium, then in Germany, France, Eastern Europe and even in Russia where it met the earlier but less practicable abstract traditions of Suprematism and Constructivism.

The work of the Stijl group had been known in Paris through its publications well before the exhibition at Léonce Rosenberg's gallery in 1923. De Stijl influence upon French architects is not so obvious as upon German but it may be remarked that in France no building, not even by Le Corbusier, was as advanced in design as Rietveld's house, plate 15; and Le Corbusier's famous device of painting the walls of the same room in different colors had been anticipated by the Stijl designers.

As early as 1919, through the painter Feininger, de Stijl was already beginning to be known at the Bauhaus school of design at Weimar. Two years later van Doesburg himself began to divide his time between Weimar and Berlin. Though the degree of his influence is still controversial, van Doesburg's presence at Weimar seems to have stimulated important changes at the Bauhaus; from a somewhat expressionist mysticism and transcendentalism, the Bauhaus more and more turned toward clarity, discipline and the desire for a uniform and consciously developed style in architecture and the allied arts such as the Dutch movement had already initiated. Doubtless some of this change of direction was self-generated; furthermore, there was surely some French and, after 1922, some Russian influence at the Bauhaus; yet it remains significant that in 1922, for instance, Gropius, who had been engaged in designing a picturesque wooden blockhouse with cubistic decorations and a symmetrical façade, sent to the *Chicago Tribune* competition an austere, asymmetrical skyscraper project, its façade enlivened by a Stijl-like arrangement of balconies and other accents.

The influence of de Stijl upon German architecture may further be seen in Mies van der Rohe's plan for a country house done in 1922, the year after van Doesburg's arrival in Berlin. The resemblance between this plan and the broken orthogonal asymmetrical design of such Stijl paintings as van

Plate 25 Rietveld: Child's chair, 1919

12

152. 小艾尔弗雷德·H. 巴尔[Alfred H. Barr Jr]的小册子《风格派：1917—1928》，1951年。这是纽约现代美术馆一次展览的导览手册。巴尔收录在小册子中的图片多来自于他在1936年出版的《立体主义与抽象艺术》一书，旨在展现风格派为欧洲建筑及设计带来的影响。

第十一章 | 复制风格派

凡·杜斯伯格去世以后，欧德帮助耐理·凡·杜斯伯格编辑了《风格派》杂志的悼念特辑（1932）。很多早期撰稿人都为这期杂志写了文章，但是有一些后来与凡·杜斯伯格分道扬镳的艺术家拒绝了撰稿邀请，比如胡札和万东格洛。巴黎及阿姆斯特丹两地分别于1934年及1936年举办了凡·杜斯伯格的个人创作回顾展。虽然风格派在法国和德国遭受了一些抵触，但这一艺术运动仍然对那里的艺术家、建筑师、设计师们产生了重要的影响。在美国，风格派被看作是20世纪20年代中期现代主义艺术的标准。蒙德里安第一幅在美国出售的作品是他于1926年创作的《黑白构图》，凯瑟琳·S. 德雷尔[Katherine S. Dreier]在同年为纽约现代艺术博物馆股份有限公司购买了这幅作品。这个机构由德雷尔、马塞尔·杜尚和曼·雷[Man Ray]一同于1920年创立。1926年到1927年的冬天，布鲁克林博物馆首次展出了该机构收藏的作品，展览主题为“国际现代艺术展览”，其中还包括了胡札、多米拉、弗迪姆贝格-吉尔德瓦特和万东格洛的作品，但是没有展出凡·杜斯伯格的作品。1926年早期由简·西普[Jane Heap]在纽约小里维画廊[The Little Review Gallery]组织的展览中则有凡·杜斯伯格的作品。蒙德里安的画作被德雷尔重新命名为《澄明》[*Clarification*]，德雷尔在收藏此作的画册里写道：蒙德里安与风格派“抛弃了本质之外的一切，而达到了一种澄明——一种纯净的氛围，很少人能够理解这一点”。在德雷尔看来，荷兰诞生了三位伟大的艺术家：伦勃朗、梵高和蒙德里安。此次展览之后，蒙德里安便在国际上赢得了“现代大师”的名声。

纽约现代艺术博物馆给予了包括里特维尔德的家具在内的风格派

153

作品非常重要的位置。巴尔在博物馆、著作中及展览时营造的现代艺术与设计“大师叙事”决定了日后几乎所有历史讨论中风格派的地位（图152）。在巴尔的著作《立体主义与抽象艺术》[*Cubism and Abstract Art*]中（该著作随着纽约现代艺术博物馆1936年的展览出版，并在日后得以频繁再版），凡·杜斯伯格被描述为“画家、雕塑家、建筑师、字体设计师、诗人、小说家、评论家、讲师和理论家——就像文艺复兴时期的天才一般多才多艺的人”。在凡·杜斯伯格去世后不久，他与他的风格派名声经历了一段低谷时期。但是在仅仅五年的时间内，他们便被重新认识、认可和推崇了。

巴尔尤其热衷于展示风格派对于包豪斯的影响。1952年到1953年

153. 魏默思·胡札，纽约世界博览会的陈列箱设计，1939年。该陈列箱中有（从左至右）蒙德里安、胡札、凡·杜斯伯格及凡·德·列克作品的复制品。

154. 魏默思·胡札《构图1916 “风格派”》，基于他1917年的《风格派》标识画成（见图17）。但我们几乎可以确认这幅画是在20世纪50年代完成的。

154

间，风格派的第一个重要回顾展（1951年由阿姆斯特丹市立博物馆策划）在纽约现代艺术博物馆展出。菲利普·约翰逊[Philip Johnson]在美国版展览图录的序言中指出，不仅是格罗皮乌斯在德国德绍的包豪斯建筑设计把风格派的元素主义、不对称结构原则表现得淋漓尽致，就连

密斯·凡·德·罗最近完成的湖滨大道[Lake Shore Drive]住宅区也很好地学习了风格派的建筑原则。1956年，H. L. C. 杰斐[H. L. C. Jaffé]撰写了第一本完整的风格派专著。直到20世纪80年代，越来越多艺术家私人档案面向公众，带来越来越多的深入研究前，这部著作一直被视作是风格派研究的标准参考书。这本书侧重于风格派的荷兰哲学、文化和思想起源，引用了许多风格派群体成员们的文章，还特别关注了蒙德里安的作品和写作。杰斐并没有否认风格派对现代主义的国际影响，但与此同时他尝试重新将风格派与荷兰传统相联系。这本书也是面向全球读者的，著作的英语版本已在欧洲和美国等地出版销售。在班汉姆的修正主义式现代建筑史著作《第一次机器时代的理论及设计》[*Theory and Design in the First Machine Age*]（1960）中，关于风格派的论述也占据了中心地位。由此，从20世纪中期开始，不断有关于风格派的讨论，并将之认定为后来占主导地位的现代主义风格建筑与设计的主要来源。

作为一种艺术意识形态，风格派具有一种融合特性。它从哲学、神智学、大众科学和立体主义及未来主义等1914年前的先锋艺术运动中汲取养分和灵感。早期先锋运动的理念就是通过风格派和其他一些战后艺术文化思潮被塑造成一种现代主义形式的，这些现代主义形式从20世纪20年代中期起逐渐体制化。蒙德里安、胡札和凡·德·列克对于“平面性”的痴迷——凡·杜斯伯格也是如此，但是没有那么严重——成为了后期现代主义必须遵守的原则（图153、154）。风格派艺术作品后又频繁地以更为平面化的照片形式出现，在艺术史叙事、专著、明信片及幻灯片中传播（图156）。

“制造风格派”这件事，从一开始便极度依赖于复制手段。一战期间，《风格派》杂志中刊登的作品以图片的形式在荷兰及国际上传播；战后，风格派群体也依赖杂志中的作品照片在巴黎造成影响。在风格派运动衰退之后，复制手段仍然起着作用——后世的人们复制了里

155

155. J. J. P. 欧德，乌涅咖啡馆，鹿特丹，设计于1925年。1985年由歌剧设计组织[Design Group Opera]在毛利思威格街[Mauritsweg] 35号重建，距离咖啡馆原址大约500米（见图100）。

特维尔德的家具，欧德设计、在战时被炸毁了的乌涅咖啡馆，以及由凡·杜斯伯格主持的黎明宫室内空间设计等；修复也起着作用，如施罗德住宅（图155）。

1968年，人们再版了整套《风格派》杂志，尽管同时提出的英文版本翻译计划没有真正得到落实。同年，荷兰举办了凡·杜斯伯格的个人创作回顾展，1971年至1972年间于阿姆斯特丹及伦敦两地还举办了里特维尔德的个人创作回顾展。由美国和荷兰机构在1982年至1983年合办的展览是目前为止最为大型的风格派艺术展览。在美国，此展览于华盛顿、明尼阿波利斯等地进行巡回展览；与此同时，此展览在阿姆斯特丹和奥特罗进行展出。20世纪80年代，在荷兰、法国和美国等地陆续举办了许多风格派艺术家和设计师的个人展览。蒙德里安长达400多页的文集曾于1986年以英文版本出版，至今没有荷兰语版本。

耐理·凡·杜斯伯格于1975年去世之后，法国与荷兰政府之间就是否应该把凡·杜斯伯格在默东工作室的档案及画作移至巴黎的蓬皮杜中心（Pompidou Centre）收藏而产生争议，荷兰政府认为这些档案及作品应当回归荷兰。双方最终达成了共识，凡·杜斯伯格的大部分视觉作品和档案由海牙的国家视觉艺术协会[Rijksdienst Beeldende Kunst]收藏，而蓬皮杜中心则可选择性地收藏凡·杜斯伯格的黎明宫设计草图。凡·杜斯伯格设计的黎明宫两个房间在1990年得到修复，这可以视作是两国政府持续就凡·杜斯伯格精神遗产交流而带来的成果。就这样，人们持续地“制造”及“复制”风格派。在这个过程中，风格派被视作是荷兰传统的现代发展，同时也是广大国际艺术领域中的重要现象。就如同风格派早期在一战刚结束那几年的发展轨迹一样。

风格派的作品不仅以图书和展览的形式被复制和传播，还出现在其后许多艺术家、设计师和建筑师的作品中，许多人以风格派理念为灵感进行创作。自20世纪20年代末凡·杜斯伯格重新书写风格派历史起，许多人曾夸张地讨论风格派的影响。赛维和帕杜文曾将风格派的建筑理念视作是一种进步的现代主义理念，他们认为这些理念最终在密斯·凡·德·罗的作品中得到最好的体现。后者的作品无疑曾受到风格派的影响，巴塞罗那德国馆[Barcelona Pavilion]（1929）便是一个经典的案例。然而，如此夸大风格派或密斯·凡·德·罗的成就，这种讨论注定既是缺乏判断的，又是不顾史实的。

也许因为风格派的设计和建筑理念在当时罕有实现（而且多数毁损），一直到今天，这些遗产仍然能够为很多设计师及建筑师带来新的灵感。尽管荷兰和其他地方的战后城市建设当中误将风格派衍生的形式理念用成了巨大、冷酷的样子，20世纪50年代和60年代的荷兰建筑师们（例如奥多·凡·艾克[Aldo van Eyck]）的作品中仍然可见里特维尔

156

156. 风格派复制品（从左上顺时针依次为）："红蓝"椅子的模型、火柴盒、手提包（上有安德烈·柯特兹[André Kertesz]拍摄的蒙德里安工作室大厅图片）、蒙德里安喜欢的音乐磁带、风格派的T恤、阿姆斯特丹里特维尔德餐厅的广告、"之字形"椅子、一张1969年的明信片上的风格派建筑样式邮戳，整套施罗德宅邸模型以及欧德马特尼萨社区管理员临时小屋的模型。

157

157. 琴多曼尼科·比洛提[Giandomenico Belotti]，椅子（"向提奥·凡·杜斯伯格致敬"），20世纪80年代。这把椅子和凡·杜斯伯格在1930年为默东工作室设计的椅子一模一样。

德或欧德最优秀的设计中的人性化的体量关系。从20世纪60年代到70年代，凡·杜斯伯格和凡·伊斯特伦的合作项目都是“解构主义”和“后现代主义”建筑师们（例如约翰·黑杜克[John Hejduk]和彼得·艾森曼[Peter Eisenmann]）的主要灵感来源。20世纪80年代末，亚伯雷特·约丹·穆勒[Albrecht Jourdan Muller]和贝尔霍夫·兰德斯·朗[Berghof Landes Rang]在法兰克福中央银行的后现代主义设计中引用或模仿了凡·杜斯伯格的黎明宫设计方案。

尽管蒙德里安在美国受到了热烈的追捧，他的画作并没有在艺术家群体间造成巨大而广泛的影响，仅有一小群不太知名的几何抽象画家吸收了他的绘画创作风格。凡·杜斯伯格的作品及写作在1945年后为欧洲艺术家带来了更为直接的影响。他的后期作品（而不是那些风格派时期的作品）对于以连续或系统形式创作的艺术家来说非常重要。包括扬·狄贝茨[Jan Dibbets]、索尔·勒维特[Sol LeWitt]及唐纳德·贾德[Donald Judd]在内的许多观念艺术或极简主义艺术家大量地收藏里特维尔德的家具产品。无论这些家具是否可被视作是雕塑作品，这些家具的收藏及展览方式都暗示了这一点。20世纪80年代末，许多里特维尔德家具的所有者及继承人都开始销售这些家具；此时，这些家具也变得如现代绘画或雕塑作品一般昂贵。卡西纳与阿莉瓦[Cassina and Alivar]公司仍然在生产某些里特维尔德家具，这些家具也被当作奢侈品来推广、销售。许多建筑师、设计师、学生以及爱好者们也自行制作里特维尔德家具——这只需要一些木材或一两天的体力劳动便可完成。因此，风格派就像是许多其他20世纪艺术与设计运动一样：“复制”此运动的成就，往往意味着“制造”本身。

参考书目及资料精选

档案

Van Doesburg Archives (VDA), Rijksdienst Beeldende Kunst (RBK), The Hague; Nederlands Architectuurinstituut (NA), Rotterdam/Amsterdam (Van 't Hoff, Oud, Wils and Rietveld archives); Stedelijk Museum, Amsterdam; Gemeentemuseum, The Hague; Rietveld Schröder Archives, Centraal Museum, Utrecht. The Schröder house, 50 Prins Hendriklaan, Utrecht, administered by the Centraal Museum, can be visited by appointment.

Fondation Custodia (FC), Institut Néerlandais, Paris (Mondrian and Oud letters); Musée nationale d'art moderne (MNAM), Centre Georges Pompidou, Paris (drawings for the Aubette). Van Doesburg's studio, 29 rue Charles Enfroit, 92190 Meudon-Val-Fleury, can be visited by appointment.

总论

H. L. C. Jaffé, *De Stijl, 1917–1931*, London 1956 (repr. Cambridge, MA, and London 1986); extensive quotations from writings of De Stijl collaborators, linking their work and ideas to Dutch culture. *De Stijl*, London 1970, edited and introduced by Jaffé, contains translations from the *De Stijl* magazine. *De Stijl*, 1917–32, 2 vols, repr. Amsterdam and The Hague 1968. Index to *De Stijl* in *Form* (Cambridge), December 1967, 6, pp. 29–32, and March 1968, 7, pp. 24–32, and Francis Bach Kolling-Dandrieú and Jet Sprenkels-ten Horn, *Index op De Stijl/Index of De Stijl*, Amsterdam 1983. Paul Overy, *De Stijl*, London and New York 1969, a short intro. based on these sources.

In the 1980s some art and architectural historians reassessed De Stijl work in the light of newly available material. Carel Blotkamp (ed.), *De Beginjaren van De Stijl 1917–1922*, Utrecht 1982 (English trans: *De Stijl: The Formative Years, 1917–1922*, Cambridge, MA, and London, 1986), individual chapters on the pre-1922 work of the initial *De Stijl* artists and architects while Carel Blotkamp (ed.), *De vervolgjaren van De Stijl 1922–1931*, Amsterdam and Antwerp 1996, covers the later years. Nancy Troy, *The De Stijl Environment*, Cambridge, MA, and London 1983, a ground-breaking study of the De Stijl coloured interior and collaborative works. See also Jane Beckett, 'Discoursing on Dutch Modernism, *Oxford Art Journal*, 1983, VI, 2, pp. 67–79.

Other general works include Mildred Friedman (ed.), *De Stijl 1917–1931: Visions of Utopia*, Minneapolis and Oxford 1982, published in conjunction with the 1982–3 De Stijl exhibition of the same name in America and The Netherlands; *Mondrian e De Stijl: L'Ideale Moderno*, exh. cat., Fondation Cini, Venice, and Milan 1990, with essays by Dutch, American and Italian scholars (in Italian) on Mondrian's painting, De Stijl architecture, stained glass and applied colour; Carsten-Pete Warncke, *De Stijl 1917–1931*, Cologne 1991, a well-illustrated introduction.

The sources of quotations are listed here by chapter and page number.

第一章

For Van Doesburg's career as artist, designer, architect, theorist, promoter and propagandist: Joost Baljeu, *Theo Van Doesburg*, London 1974, based on VDA, with English trans. of many of his writings. Detailed documentation (in Dutch): *Theo Van Doesburg, 1883–1931*, exh. cat., Van Abbemuseum, Eindhoven 1968, with repr. texts by Van Doesburg and essays by Joost Baljeu, J. Leering and L. Leering-van Moorsel; Evert van Straaten, *Theo Van Doesburg 1883–1931, een documentaire op basis van materiaal uit de Schenking Van Moorsel*, The Hague 1983, a chronological documentation of the artist's career based on RBK archival material. Evert van Straaten, *Theo van Doesburg, Constructor of the new life*, Otterlo, 1994, a detailed commentary on works by Van Doesburg in the RBK collection; Els Hoek (ed.), *Theo van Doesburg: Oeuvre Catalogue*, Utrecht/Otterlo 2000, complete catalogue of Van Doesburg's work (in English).

11 Van Doesburg, 'L'Évolution de l'architecture moderne en Holland', *L'Architecture Vivante*, Autumn/Winter 1925, p. 15.

第二章

E. H. Kossman, *The Low Countries, 1780–1940*, Oxford 1978, is the most useful general source. *The Age of Van Gogh: Dutch Painting 1880–1895*, exh. cat., Burrell Collection, Glasgow 1990, contains useful material. Berlage: Pieter Singelenberg, *H. P. Berlage, Idea and Style: The Quest for Modern Architecture*, Utrecht 1972. Amsterdam School: *Wendingen*, 1918–1931; Wim de Wit (ed.), *The Amsterdam School: Dutch Expressionist Architecture, 1915–1930*, Cambridge, MA, and London 1983. Wasmuth publications on

Wright: *Frank Lloyd Wright: Ausgeführte Bauten und Entwürfe*, elephant folio, 2 vols, Berlin 1910; *Frank Lloyd Wright: Ausgeführte Bauten*, Berlin 1911. *The Early Work of Frank Lloyd Wright: The 'Ausgeführte Bauten' of 1911*, New York 1982, repr. of Wasmuth 1911 without the intro. by C. R. Ashbee. Dutch housing policy: Donald Grinberg, *Housing in the Netherlands, 1900–1940*, Delft 1982, pp. 33–41, 87; Hans van Dijk, *Guide to Modern Architecture in the Netherlands*, Rotterdam 1987, pp. 9ff. Theosophy and the spiritual: Robert Welsh, 'Mondrian and Theosophy' in *Mondrian* 1971 (see Ch. 4); Carel Blotkamp, 'Annunciation of the New Mysticism: Dutch Symbolism and Early Abstraction', in *The Spiritual in Art: Abstract Painting 1890–1985*, exh. cat., Los Angeles County Museum and New York 1986, pp. 89–111.

20 Henry Asselin, 'L'Architecture moderne en Hollande', *Art et Décoration*, 1925, XLVII, pp. 101–02, J. G. Wattjes, 'Moderne Bouwkunst in Utrecht', *Bouwbedrijf*, September 1925, II, 9, pp. 328–32.

21 J. H. Huizinga, *Dutch Civilization in the Seventeenth Century and other essays*, Harmondsworth 1968, pp. 155–6. Friedrich Marcus Huebner, 'Open Brief', *De Stijl*, June 1919, II, 8, pp. 94–5, *Het Nieuwe Bouwen: De Stijl* 1983, p. 23 (see Ch. 7). Roggeveen and Oud, *Holland Express*, 19 September 1917, X, 38, p. 455; 3 October 1917, X, 40, p. 479, Doig 1986, p. 37 (see Ch. 6).

26 Mondrian to Van Doesburg, 2 February 1921, RBK. Rietveld and Berlage, Singelenberg 1972, pp. 177, 228, n. 42.

33 Mart Stam, 'Away with the Furniture Artists' in Werner Gräff (ed.), *Innenraume*, Stuttgart 1928, pp. 128–30 (trans. Tim and Charlotte Benton, *Form and Function*, London 1975, pp. 227–8). Van Doesburg to Kok, December 1919, M. Friedman 1982, p. 48 (see General). Mondrian to Van Doesburg, 11 October 1919, RBK.

36 Van Doesburg to Evert and/or Thijs Rinsema, 19 June 1922, Christie's catalogue, Amsterdam, 21 May 1987, p. 100. Van Doesburg to De Boer, 29 December 1922, trans. Doig 1986, p. 117 (see Ch. 6).

第三章

Beckett 1983 (see General) is the source for much material here. Mondrian writings: Harry Holtzman and Martin S. James (eds and trans.), *The New Art – The New Life. The Collected Writings of Piet Mondrian*, Boston 1986 and London 1987; his Bauhaus book, *Neue Gestaltung*, Munich 1925, repr. 1974. For translations of many Van Doesburg writings: Baljeu 1974 (see Ch. 1). Sergio Polano, *Theo Van Doesburg: Scritti di arte e di architettura*, Rome 1979: Italian trans. of nearly all his writings on art and architecture and a useful but incomplete catalogue raisonné. Hannah L. Hedrick, *Theo van Doesburg, Propagandist and Practioner of the Avant-Garde, 1909–1931*, Ann Arbor, MI, 1980: a study of his poetry and fiction. See also Egbert Krispyn, 'Literature and *De Stijl*' in Francis Bulhof (ed.), *Nijhoff, Van Ostaijen, 'De Stijl': Modernism in the First Quarter of the 20th Century*, The Hague 1976. Van Doesburg's poetry collected in I. K. Bonset, *Nieuwe woordbeeldingen, de gedichten van Theo van Doesburg* (ed. K. Schippers), Amsterdam 1975. Van Doesburg's Bauhaus book, *Grundbegriffe der neuen gestaltenden Kunst*, Munich 1925 (English trans. *Principles of Neo-Plastic Art*, London 1968); his writings on art and architecture, repr. in *De nieuwe beweging in de schilderkunst*, Dordrecht 1983, and *Europese architectuur*, Nijmegen 1986. Other De Stijl writings are translated in Jaffé 1970 (see General).

39 J. H. Huizinga 1968, p. 156 (see Ch. 2).

40 Mondrian to Van Doesburg, *Mondrian from Figuration to Abstraction* 1988, p. 40 (see Ch. 4).

41 J. P. Mieras in *Bouwkundig Weekblad*, 24 November 1917, XXXVIII, 47, p. 273, trans. Beckett 1983, p. 74 (see General). Intro. to Blotkamp 1986, p. xi (see General). Van Doesburg, *Principles of Neo-Plastic Art*, p. 5. Mondrian's notes, trans. Welsh and Joosten 1969 (see Ch. 4).

42 Mondrian to Van Doesburg, Blotkamp 1986, p. 49 (see General).

43 Illustrations in Theo van Doesburg, *Drie Voordrachten over de Nieuwe Beeldende Kunst*, Amsterdam 1919.

46–8 Van Doesburg to Van der Leck, May 1917, M. Friedman 1983, p. 73 (see General). 'First De Stijl Manifesto', *De Stijl*, November 1918, II, 1, p. 2; a more accurate modern trans. in Holtzman and James 1987, p. 24.

49 New lay out, Mondrian to Van Doesburg, 5 August 1920, with sketches, partly reproduced in Van Straaten 1983, p. 98 (see Ch. 1). Mondrian to Van Doesburg and Lena Milius, 2 February 1921, RBK.

52 'Second De Stijl (Literature) Manifesto', *De Stijl*, April 1920, III, 6, p. 49. Van Eesteren to Van Doesburg, 26 December 1926, RBK, trans. Doig 1986, p. 164 (see Ch. 6).

53 Van Doesburg on *i10*, *De Stijl*, 1927 (actually 1928), series XIV, 79–84, p. 7; 'large publisher in Germany', Van Doesburg to Bart de Ligt, 7 February 1929, trans. Doig 1986, p. 219 (see Ch. 6). *Art Concret* (Paris), April 1930, p. 1, trans. 'Art Concret: The Basis of Concrete Painting', Baljeu 1974, pp. 180–81 (see Ch. 1).

第四章

Mondrian: Joop Joosten and Robert Welsh, *Piet Mondrian: Catalogue raisonné*, London 1998, a complete catalogue of Mondrian's work; Michel Seuphor,

Piet Mondrian: Life and Work, New York 1956 and London 1957), contains illustrated catalogue, as does M. G. Ottolenghi, *Mondrian*, Milan 1974; H. L. C. Jaffé, *Piet Mondrian*, New York 1970 and London 1989; J. Joosten and R. P. Welsh, *Two Mondrian Sketchbooks 1912–14*, Amsterdam 1969 (with English trans.), a facsimile of 2 important sketchbooks from the period when Mondrian was developing his early abstractions. Carel Blotkamp, *Mondrian: The Art of Destruction*, London 1994, a thoughtful and well-balanced account of Mondrian's work. Major exh. cats: *Piet Mondrian 1872–1944*, Art Gallery of Toronto 1966; *Piet Mondrian, Centennial Exhibition*, Solomon R. Guggenheim Museum, New York 1971; *Mondrian from Figuration to Abstraction*, Tokyo and The Hague 1987–8; Yve-Alain Bois, Joop Joosten, Angelica Zander Rudestine, Hans Janssen, *Piet Mondrian 1872–1944*, Exh. Cat., The Hague/Washington/New York, Milan 1994.

For discussion and documentation of Van Doesburg's painting see Ch. 2 and H. L. C. Jaffé, *Theo Van Doesburg*, Amsterdam 1983 (in Dutch). See also Robert Welsh, 'Theo van Doesburg and Geometric Abstraction' in Bulhof 1976 (see Ch. 3). Relatively little has been published on Van der Leck and Huszár: R. W. D. Oxenaar, *Bart Van Der Leck tot 1920, een primitief van de nieuwe tijd*, The Hague 1976 (in Dutch); *Bart Van der Leck 1876–1958*, exh. cat., Rijksmuseum Kröller-Müller, Otterlo/Stedelijk Museum, Amsterdam 1976, text by Oxenaar (in Dutch and English); *Bart Van der Leck 1876–1958*, Institut Néerlandais, Paris 1980, text by Oxenaar (in French). See also Michel Seuphor, 'Le peintre Bart Van der Leck', *Werk*, 1951, XXXVIII, 11, pp. 357–60; the fullest published discussion in English is by Cees Hilhorst in Blotkamp 1986, pp. 153–85 (see General). S. Ex and E. Hoek, *Vilmos Huszár, Schilder en ontwerper 1884–1960*, Utrecht 1985, is a thoroughly researched monograph published on the occasion of the Huszár retrospective in Amsterdam and Budapest. Ex's essay on Huszár in Blotkamp 1986, pp. 77–121, is the only substantial discussion in English. For Domela's painting of his De Stijl period see Marcel Brion, *Domela*, Paris 1961; H. L. C. Jaffé, *Domela*, Paris 1980; *Domela: 65 ans d'abstraction*, exh. cat., Musée d'art moderne de la ville de Paris 1987.

60 Mondrian on Van der Leck, *De Stijl*, Van Doesburg memorial issue, January 1932, pp. 48–9, trans. M. Friedman 1983, p. 69 (see General).

62 Van Doesburg on *The Donkey Riders*, 'Bij be bijlagen', *De Stijl*, November 1917, I, 1, pp. 11–12; Mondrian to Van Doesburg, M. Friedman 1983, p. 75 (see General).

66 Mondrian to Van Doesburg, 13 June 1918, Blotkamp 1986, p. 99 (see General; trans. modified).

67 Van Doesburg, Blotkamp 1986, p. 54 (see General). Vilmos Huszár, 'Iets over de farbenfibel van W. Ostwald', *De Stijl*, August 1918, I, 10, pp. 113–18; Wilhelm Ostwald, 'Die Harmonie der Farben, *De Stijl*, May 1920, III, 7, pp. 60–62.

68 Mondrian to Van Doesburg, 19 April 1920, Blotkamp 1986, p. 248 (see General).

第五章

Vantongerloo: the best account is Nicolette Gast's in Blotkamp 1986 (see General). See also Georges Vantongerloo, *Paintings, Sculptures, Reflections*, New York 1948; *Georges Vantongerloo*, exh. cat., Marlborough Gallery, London 1962; *Georges Vantongerloo*, exh. cat., Kunsthaus, Zurich 1981. Rietveld (see also Ch. 7): Frits Bless, *Rietveld 1888–1964, een biografie*, Amsterdam and Baarn 1982 (in Dutch), covers furniture as well as architectural design; Daniele Baroni, *The Furniture of Gerrit Thomas Rietveld*, London and New York 1979; *Rietveld*, Stedelijk Museum, Amsterdam 1981 (English version), a useful catalogue of material (mainly furniture) in the Stedelijk. *Rietveld Meubels, Om Zelf Te Maken: Werkboek/How to Construct Rietveld Furniture: Workbook*, Delft 1986 (in Dutch and English). Much new documentation and illustrations of Rietveld's early furniture designs in: *Rietveld als Meubelmaker 1900–1924*, exh. cat., Centraal Museum, Utrecht 1983, Dutch text by Marijke Küper. *Gerrit Rietveld: Craftsman and Visionary, A Centenary Exhibition*, exh. cat., Barry Friedman Ltd, New York 1988, with excellent illustrations and documentary material. See also Marijke Küper and Mart van Schijndel, 'Der Sitzgeist: Over het onstaan van de Zigzagstoel', *Jong Holland*, May 1987, III, 2, pp. 4–11; Paul Overy, 'Gerrit Rietveld: Furniture and Meaning', and Brian Housden, 'Jolly Nice Furniture' in Tony Knipe and John Millard (eds), *2D/3D: Art and Craft Made and Designed in the 20th Century*, Sunderland 1987; *Rietveld Furniture and the Schröder House*, exh. cat., South Bank Centre, London 1990. Marijke Küper and Ida van Zijl, *Gerrit Th. Rietveld 1888–1964: The complete works*, Utrecht 1992; Peter Vöge and Paul Overy, *The Complete Rietveld Furniture*, Rotterdam 1993; Bertus Mulder, *Gerrit Thomas Rietveld: Schets van zijn leven, denken en werken*, Nijmegen 1994.

74 *De Stijl*, September 1919, II, 11, p. 136.

75 Sigfried Giedion, *Mechanization Takes Command* (1948), New York 1969, p. 485; Kenneth Frampton, *Modern Architecture, A Critical History*, London and New York 1985, p. 144. Rietveld to Oud, 4 May 1920, quoted Blotkamp 1986, p. 267 (see General).

76 Johan Huizinga, *Homo Ludens*, English edn, Harmondsworth 1970, p. 17.

79 G. Rietveld, 'Aanteekening bij kinderstoel', *De*

Stijl, July 1919, II, 9, p. 102, trans. Brown 1958, p. 22 (see Ch. 7).
83 End Table, A. Boeken, 'Bij een paar afbeeldingen van werk van G. Rietveld', *Bouwkundig Weekblad*, 27 September 1924, XLV, 39, p. 382. Rietveld on De Stijl, *G. Rietveld Architect* 1971–2, np (see Ch. 7).
84 'X-Beelden', *De Stijl*, July 1920, III, 9, p. 77.

第六章

Allan Doig, *Theo Van Doesburg: Painting into Architecture, Theory into Practice*, Cambridge 1986, relates Van Doesburg's collaborative and architectural work to his painting and theoretical writings. Evert van Straaten, *Theo Van Doesburg, Painter and Architect*, The Hague 1988 (in Dutch and English), exhaustively describes and documents his collaborative and applied art works (including stained glass and colour designs for interiors and exteriors) and architectural designs, with excellent colour illustrations. See also Hellen Zeeders and Jan Cees Nauta, *Theo van Doesburg in Drachten*, exh. cat., Drachten 1988; Jane Beckett, '"De Vonk", Noordwijk, an Example of Early De Stijl Co-operation', *Art History*, 1980, III, 2, pp. 202–17; N. J. Troy, 'Theo Van Doesburg: From Music into Space', *Arts Magazine*, 1982, LVI, 6, pp. 96–101. Huszár's collaborative and colour work is documented in Ex and Hoek 1985 (see Ch. 4) and by Ex in Blotkamp 1986 (see General), Van der Leck by Hilhorst in Blotkamp 1986.
88–9 *De Stijl*, November 1918, II, 1, pp. 10–12, pl. I, and December 1918, II, 2, pl. II. 'Notes on Monumental Art' trans. Jaffé 1970, p. 103 (see General).
91 Van Doesburg to Oud, 3 November 1921, FC, Blotkamp 1986, p. 146 (see General). Van Doesburg to Oud, 18 December 1921, FC, *Het Nieuwe Bouwen: Voorgeschiedenis/Previous History*, Delft 1982, p. 160.
92 Spangen glass, *De Stijl*, June 1921, IV, 5, p. 78.
99 Mondrian to Oud (early 1926), FC, Troy 1983, p. 220, n. 66 (see General); comment, Troy 1983, p. 149.

第七章

Two important chapters on De Stijl in Reyner Banham, *Theory and Design in the First Machine Age*, London 1960; Bruno Zevi, *Poetica dell'Architettura Neoplastica*, Turin 1953 (rev. 1974), claims De Stijl as the ancestor of the most 'radical' branch of modernism; *Het Nieuwe Bouwen: De Stijl: De Nieuwe Beelding in de architectuur/Neo-Plasticism in Architecture*, Delft 1983, with well-researched essays by various architectural historians. The architectural magazines *Bouwkundig Weekblad* and *Het Bouwbedrijf* contain articles on buildings by De Stijl architects published shortly after their completion. See also 'Mondrian ⟨–⟩ architectuur', in Carel Blotkamp, *Mondriaan in detail*, Utrecht and Antwerp 1987, pp. 9–101, see also Blotkamp 1994 (see Ch. 4), pp. 137–156.

Theodore Brown, *The Work of G. Rietveld, Architect*, Utrecht 1958, covers the architecture and some furniture, also a useful illustrated catalogue and translations of 2 essays by Rietveld. Brown's 'Rietveld's Egocentric Vision', *Journal of the Society of Architectural Historians*, December 1965, XXIV, 4, pp. 292–6, has further translated extracts from his writings. Paul Overy, Lenneke Büller, Frank den Oudsten and Bertus Mulder, *The Rietveld Schröder House*, Cambridge, MA, and Guildford 1988, long interview with Truus Schröder, introductory essay by Overy and afterword on the house's restoration by Mulder. For the respective contributions of Rietveld and Schröder see also Bertus Mulder and Ida van Zijl, *Rietveld Schröder House*, Bussum 1997; Paul Overy, 'Designing for the Modern World: De Stijl', in Liz Dawtrey et al. (eds), *Investigating Modern Art*, New Haven and London 1996, pp. 71–86, Alice T. Friedman, 'Not a Muse: The Client's Role at the Rietveld Schröder House', in Diana Agrest, Patricia Conway, Leslie Kanes Weisman (eds), *The Sex of Architecture*, New York 1996, pp. 217–232; Alice T. Friedman with Maristella Casciato, 'Family Matters: The Schröder House', in Alice T. Friedman, *Women and the Making of the Modern House: A Social and Architectural History*, New York 1998, pp. 64–91. For other houses designed by Rietveld see G. H. Rodijk, *De huizen van Rietveld*, Zwolle 1991 and Küper and Van Zijl 1992 (see Ch. 5). Catalogues: *G. Rietveld Architect*, Stedelijk Museum, Amsterdam, and Hayward Gallery, London 1971–2; *Rietveld Schröder Archief*, Centraal Museum, Utrecht 1988 (in Dutch), with material on his interior design and furniture.

Little on the other architects is available in English apart from the chapters on Oud, Van 't Hoff and Wils in Blotkamp 1986 (see General). Oud: Gunther Stamm, *J. J. P. Oud, Bauten und projekte 1906–1963*, Mainz 1984; Hans Oud, *J. J. P. Oud: Architect, 1890–1963*, The Hague 1984 (in Dutch with summary in English); Umberto Barbieri, *J. J. P. Oud*, Bologna 1986. Catalogues: *The Original Drawings of J. J. P. Oud 1890–1963*, text Jane Beckett, Architectural Association, London 1978; *Architectuur van J. J. P. Oud*, texts Oud, Umberto Barbieri, Bernand Colenbrander and Henk Engel, Lijnbaancentrum RKS, Rotterdam 1981–2. Late in life Oud published his own version of his relationship with De Stijl: J. J. P. Oud, *Mein Weg in 'De Stijl'*, The Hague and Rotterdam 1960 (in German), partly translated into English in Sergio Polano, 'Notes on Oud: Re-reading the Documents', *Lotus International* (Milan), September 1977, 16, pp. 42–9. Wils: Enzo Godoli, *Jan Wils, Frank Lloyd Wright e De Stijl*, Florence 1980. Van Eesteren: R. Blistra, *C. van Eesteren*, Amsterdam

1971 (in English).
104 Van Doesburg to De Boer, trans. Doig 1986, pp. 117–18 (see Ch. 6). Illustrations in *De Stijl*, December 1922, V, 12, unnumbered plates.
105 Vilmos Huszár, 'Aesthetische Beschouwing bij Bijlagen 3 en 4', *De Stijl*, January 1919, II, 3, pp. 27–31; illustration pl. III, also in *De Stijl*, May 1919, II, 7, pl. XV.
106 Huib Hoste, *De Telegraaf*, 19 March 1919, Blotkamp 1986, p. 212 (see General). Jan Wils, 'Symmetrie en kultuur', *De Stijl*, October 1918, I, 12, pp. 137–40.
112 Oud, 'Het Monumentale Stadsbeeld', *De Stijl*, 1917, I, 1, pp. 10–11, English trans. *Lotus International* (Milan), September 1977, 16, pp. 51–2. Antedating the design, Van Doesburg to Oud, 13 March 1919, Blotkamp 1986, p. 150, n. 22 (see General). Oud, Blotkamp 1986, p. 130.
116 Truus Schröder: 'Interview with Truus Schröder', in Overy *et al.* 1988, p. 56.
117 Truus Schröder, interview with Nancy Troy, Troy 1983, p. 119 (see General).
118 Van Doesburg to Rietveld, RBK, trans. Overy *et al.* 1988, p. 65. Van Doesburg to Domela, 27 August 1925, Doig 1986, pp. 168–9 (see Ch. 6). 'Tot een beeldende architectuur', *De Stijl*, 1924, VI, 6–7, pp. 78–83, trans. 'Towards a plastic architecture', Baljeu 1974, pp. 142–47 (see Ch. 1).

第八章

Grinberg 1982 (see Ch. 2) and works under Ch. 7. Oud's housing: Rob Dettingmeijer, 'De strijd om een goed gebouwde stad/The fight for a well built city', in *Het Nieuwe Bouwen in Rotterdam 1920–1960*, Delft 1982; Bernand Colenbrander (ed.), *Oud Mathenesse: Het Witte Dorp, 1923–1987*, Rotterdam 1987. See also *Het Nieuwe Bouwen Internationaal: CIAM, Volkshuisvesting, Stedebouw/International: Housing, Town Planning*, Delft 1982; Frits Bless, 'From Schröder house to worker's dwelling', *Het Nieuwe Bouwen: Voorgeschiedenis* 1982, p. 135 (see Ch. 6, p. 91); Pieter Singelenberg, 'Rietveld en woningtypologie 1927–1936', *Kunstwerk* 1980, 5, pp. 3–19. Pauline Madge, 'Controversen rond Rietveld', *Wonen/TABK*, August 1982, 15–16, pp. 37–43.
121 'The Monumental Image of the City' (see Ch. 7, p. 112).
125 J. J. P. Oud, 'Gemeentelijke Woningbouw in Spangen en Tussendijken,' *Rotterdamsch Jaarboekje* 1924, XLIX–LV, *Het Nieuwe Bouwen: De Stijl* 1983, p. 130 (see Ch. 7). Oud to Van Doesburg, M. Friedman 1983, p. 94 (see General). Van Doesburg to Oud, Blotkamp 1986, p. 136 (see General).
128 Jan Gratama, Doig 1986, p. 104 (see Ch. 6). Jan Wils, 'Woningblook in "Spangen" en Theater "Scala" te Rotterdam van Architect L. C. v. d. Vlugt', *Het Bouwbedrijf*, August 1925, II, 8, p. 291. 'Perpetual workers' dwellings', 'dingy and drab', Oud to Van Doesburg (October 1921), Blotkamp 1986, p. 146 (see General).
129 Van Doesburg to Oud, 11 November 1924, RBK, trans. Doig 1986, p. 223 (see Ch. 6). *Het Dagblad van Rotterdam*, 28 June 1924, Colenbrander 1987, p. 55.
131 Van Doesburg quoted by Badovici to Oud, 10 June 1928, Oud archive, NA, Troy 1983, p. 211, n. 25 (see General).
132–3 Oud, 'The £213 house: a solution to the rehousing problem for rock-bottom incomes in Rotterdam by the architect J. J. P. Oud', *The Studio*, March 1931, 456, pp. 176, 177.
134 Henry-Russell Hitchcock, *J. J. P. Oud*, Paris 1931, np; Hitchcock, *Architecture: 19th and 20th Centuries*, Harmondsworth 1958, p. 378.
135 J. J. P. Oud, 'Huisvrouwen en Architecten', *i10*, 1927, 2, pp. 44–6.
138–9 *The Studio*, 1933, 501, p. 249. Hitchcock 1931, np (see p. 134); Henry-Russell Hitchcock and Philip Johnson, *The International Style*, New York 1932, *passim*.
139 Schröder house, E. E. von Strasser, *Neuere hollandische Baukunst*, Munich 1926, p. 21, Brown 1958, p. 58 (see Ch. 7).
142 Hitchcock and Johnson, new edn 1966, p. x.
144 Van Eesteren, 'urban planner', Umberto Barbieri, 'The City has Style' in *Het Nieuwe Bouwen: De Stijl* 1983, p. 131 (see Ch. 7). Richard Padovan, 'The Pavilion and the Court', *Architectural Review*, December 1981, CLXX, 1018, pp. 363–4.

第九章

'Film als reine Gestaltung' (Film as Pure Form), *Die Form*, 15 May 1929, IV, 10, pp. 241–8, trans. *Form* (Cambridge), Summer 1966, 1, pp. 5–11. Oud's early writings in *De Stijl* trans. *Lotus International* (Milan), September 1977, 16, pp. 51–4. See also Sergio Polano, 'Notes on Oud: Re-reading the documents', *Lotus International*, September 1977, 16, pp. 45ff. For De Stijl and Dada, K. Schippers, *Holland Dada*, Amsterdam 1974; Jane Beckett, 'Dada, Van Doesburg and De Stijl', *Journal of European Studies*, 1979, 9, pp. 1–25. Van Doesburg and the Bauhaus, Baljeu 1974, pp. 41, 43–4 (see Ch. 1); Claudine Humblet, *Le Bauhaus*, Lausanne 1980; Zevi 1974, p. 229 (see Ch. 7); *Theo Van Doesburg, 1883–1931* 1968, pp. 45–8 (see Ch. 1). Sjarel Ex, *Theo van Doesburg en het Bauhaus: De invloed van De Stijl in Duitsland en Midden-Europa*, Utrecht 2000. Sophie Lissitzky-Küppers, *El Lissitzky*, London 1968. Krisztina Passuth, *Les Avant-Gardes de l'Europe Centrale*, Paris 1988, pp. 125–7. Yehuda Safran, *Frederick Kiesler*, exh. cat., Architectural Association,

London 1989.
147 Banham 1960, p. 153 (see Ch. 7). 'De stijl der toekomst', repr. Theo van Doesburg, *De nieuwe beweging in de schilderkunst*, Dordrecht 1983. J. J. P. Oud, 'Architectonische beschouwing bij Bijlage VIII', *De Stijl*, February 1918, I, 4, pp. 39–41, trans. *Form* (Cambridge), September 1967, pp. 9–11.
148 J. J. P. Oud, 'Bouwkunst en Normalisatie bij den Massabouw,' *De Stijl*, May 1918, I, 7, pp. 77–9, English trans. *Lotus International* 1977, pp. 53–4.
149 J. J. P. Oud, 'Orientatie', *De Stijl*, December 1919, III, 2, p. 13, trans. Jaffé 1970, p. 132 (see General). Oud, *De Stijl*, January 1920, III, 3, pp. 25–7, pl. III.
150–51 Bethlehem Shipbuilding Works, *De Stijl*, April 1920, III, 6, pl. IX, commentary, *De Stijl*, May 1920, III, 7, p. 64. 'The Will to Style', trans. Baljeu 1974, p. 122 (see Ch. 1).
152 I. K. Bonset, 'Het andere gezicht', *De Stijl*, April 1921, IV, 4, p. 49. 'Let us not forget . . .', *Architectura*, 1924, 28, p. 62, M. Friedman 1983, p. 204 (see General). 'Vers une construction collective', *De Stijl*, 1924, VI, 6–7, pp. 89–92, trans. Baljeu 1974, pp. 147–8 (see Ch. 1). 'De Dood de Modernismen', *De Stijl*, 1924–25, VI, 9, p. 122, *Het Nieuwe Bouwen: De Stijl* 1983, p. 77 (see Ch. 7).
153 'Painting and Plastic Art: On Counter-Composition and Counter-Plastic Elementarism (A Manifesto fragment) [Rome, July 1926]', *De Stijl*, 1926, VII, 75–6, pp. 35–43, trans. Baljeu 1974, pp. 156ff (see Ch. 1).
156–8 Van Doesburg to Kok, 7 January 1921, Jaffé 1956, p. 20 (see General). Gropius to Oud, 15 October 1923, Oud archive, NA, Humblet 1980, p. 193. Meyer to Oud, 9 January 1922, 20 April 1922, Oud archive, NA, Humblet 1980, pp. 193, 205, n. 191. J. J. P. Oud, 'Over de toekomstige bouwkunst en hare architectonische mogelijkheden', *Bouwkundig Weekblad*, 1921, XLII, 24, pp. 147–60. Banham 1960, p. 157 (see Ch. 7). J. J. P. Oud, *Holländische Architektur*, Bauhausbuch no. 10, Munich 1926.
159 Van Doesburg to Beekman, September 1919, M. Friedman 1983, p. 46 (see General). *De Stijl*, June 1921, IV, 6, p. 93; *De Stijl*, September 1922, V, 9.
161 *De Stijl*, June 1922, V, 6, pp. 81–5.
162 Sophie Lissitzky-Küppers 1968, p. 81. El Lissitzky, *Stroitelnaia Promyshlennost* (Moscow), December 1926, 12, pp. 877–81. 'Produktion-Reproduktion' *De Stijl*, July 1922, V, 7, pp. 98–101. Moholy-Nagy to Oud, 17–20 August 1922, Oud archive, NA, Doig 1986, p. 141 (see Ch. 6).
163–4 *R. U. R.*, *De Stijl*, May–June 1923, VI, 3–4, np. F. Kiesler, 'Austellungssystem: Leger und Trager', 'Vitalbau-Raumstadt-Funktionelle-Architektur', *De Stijl*, 1925, VI, 10–11, pp. 138–46, trans. Benton 1977, p. 105–06 (see Ch. 2, p. 33). F. Kiesler, 'L'architecture élémentarisée', *De Stijl*, 1927 (actually 1928), series VII, 79–84, p. 101. *Mécano*, 1923, white, 4–5, np, trans. *Form* (Cambridge), 15 April 1967, 4, pp. 31–2.

第十章

De Stijl in France, cat. of 'De Stijl et l'architecture en France', Institut Français d'Architecture, Paris 1985, Brussels and Liège 1985, detailed essay by Nancy Troy and Yve-Alain Bois, 'De Stijl et l'architecture à Paris', with contributions on the relation between the work of Le Corbusier, Robert Mallet-Stevens and Eileen Gray and De Stijl. Allan Doig, 'Theo van Doesburg en Le Corbusier', *Wonen/TABK*, August 1982, 15–16, pp. 29–36. Christopher Green, *Cubism and its Enemies*, New Haven and London 1987, detailed treatment of Mondrian and Van Doesburg's activities and work in Paris in the 1920s. John Golding and Christopher Green, *Léger and Purist Paris*, exh. cat., Tate Gallery, London 1970. *Rob Mallet-Stevens: Architecture, Mobilier, Décoration*, Paris 1986, pp. 107ff.

Mondrian's studio: Herbert Henkels, 'Mondrian in his Studio', and 3 hitherto untranslated interviews with Mondrian in the 1920s in *Mondrian from Figuration to Abstraction* 1987–8 (see Ch. 4). Mondrian in 'Trialogue', *The New Art – The New Life* 1987 (see Ch. 3). Essays on Mondrian's studio in Yve-Alain Bois (ed.), *L'Atelier de Mondrian: Recherches et dessins*, Paris 1982. See also *i10*, exh. cat., Institut Néerlandais, Paris 1989. Frans Postma and Cees Boekraad, *26 Rue du Départ: Mondrian's studio in Paris, 1921–1936*, Berlin 1995; Paul Overy, 'The Cell in the City', in Eve Blau and Nancy Troy (eds), *Architecture and Cubism*, Montréal, Cambridge, Mass. and London 1997, pp. 117–40.

The Aubette: *Theo van Doesburg: Projets pour l'Aubette*, exh. cat., MNAM, Centre Georges Pompidou, Paris 1977; *Theo van Doesburg: Aspects méconnus de l'Aubette*, exh. cat., Musées de la Ville de Strasbourg 1989, with French trans. of Van Doesburg's text from *Het Bouwbedrijf*, 1929; Karl Gerstner, 'Die Aubette als Beispiel integrierter Kunst', *Werk*, October 1960, XLVII, 10, pp. 375–80.
167–8 Mondrian, 'De huif naar den wind', *De Stijl*, 1924 (actually 1925), VI, 6–7, pp. 86–8. Mondrian to Van Doesburg, 4 December 1919, *The New Art – The New Life* 1987, p. 395, n. 8 (see Ch. 3). Mondrian, 'Les Grands Boulevards', trans. *ibid*, p. 128.
168 Van Doesburg to Kok, Seuphor 1987, p. 127 (see Ch. 4).
174 *L'Esprit Nouveau*, *De Stijl*, July 1920, III, 9, p. 78.
176 *L'Architecture*, July 1924, *De Stijl in France* 1985, p. 62.
178 Zervos review, *Cahiers d'art*, January 1926, *The*

New Art – The New Life 1987, p. 202 (see Ch. 3).
179 *Gesamtkunstwerk*, Van Doesburg to Adolf Behne, 7 November 1928, Ulrich Conrads and Hans G. Sperlich, *The Architecture of Fantasy*, New York 1963, p. 155.
180 Earth colours, Van Doesburg, 'Schilderkunst en plastiek: over contra-compostie en contra-plastiek – Elementarisme', *De Stijl*, 1926, series VII, 75–6, p. 41, trans. Baljeu 1974, p. 160 (see Ch. 1).
185 Van Doesburg, 'Notes on L'Aubette at Strasbourg', *De Stijl*, Aubette issue, 1928, VIII, 87–9, trans. Jaffé 1970, p. 237 (see General); monumental art, *De Stijl*, November 1918, II, 1, p. 12. Henry-Russell Hitchcock, *Modern Architecture, Romanticism and Reintegration*, New York 1929, p. 183.
186 Van Doesburg to Del Marle, 18 December 1927, Bois, 'Mondrian en France', 1981, p. 295. Diary extracts, *De Stijl*, memorial issue, January 1932, pp. 19–24. Aubette described, Troy 1983, p. 161 (see General). Van Doesburg to Bart de Ligt, trans. Doig 1986, p. 219 (see Ch. 6).
188–9 Van Doesburg, 'Der Kampf um den Neuen Stil' (The Struggle for the New), *Neue Schweizer Rundschau*, 1929, trans. *Het Nieuwe Bouwen: De Stijl* 1983, p. 29 (see Ch. 7). Van Doesburg to Kok, 23 January 1930, RBK, Van Straaten 1983, pp. 166–9 (see Ch. 1). Manifesto and white painting, 'Élémentarisme (Les éléments de la nouvelle peinture)', *De Stijl*, memorial issue, January 1932, pp. 17–19, trans. Baljeu 1974, pp. 183–5 (see Ch. 1).
190 Van Doesburg to Huib Hoste, 20 July 1918, Doig 1986, p. 59 (see Ch. 6). Van Doesburg to De Ligt, 7 February 1929, RBK, Doig 1986, p. 219. Mondrian to Roth, September 1938, Alfred Roth, *Begegnung mit Pionnieren*, Basel and Stuttgart 1973, p. 180.

第十一章

Alfred Barr, *Cubism and Abstract Art*, New York 1936 (repr. 1975); *De Stijl 1917–28*, 1951 (repr. 1961), pamphlet published as intro. to the MOMA, New York 1951–2 exhibition of the same title. Stedelijk Museum, Amsterdam 1951, cat. of same exh., English trans. of De Stijl texts and letters.
193 Katherine Dreier, *Modern Art*, exh. cat., Brooklyn Museum, New York 1927, p. 270.
194 Barr 1975, pp. 141, 156. *De Stijl* 1951, p. 5.

插图列表

度量单位用英寸表示，括号内则采用厘米。作品尺寸依次以高、宽、厚的顺序来表示。

BELOTTI, Giandomenico

157 Chair ('Homage to Theo van Doesburg') 1980s. Chrome, steel and leather

BERLAGE, H. P.

11 Henny house, The Hague, 1898, interior. Photo courtesy Nederlands Architectuurinstituut, Rotterdam/Amsterdam

BOER, Cornelis de

69 Terrace housing, Drachten, 1921 (colour design by Van Doesburg). Photo courtesy Museum it Bleekerhûs, Drachten

BREUER, Marcel

128 Chair, 1923. Wood and fabric

BURCHARTZ, Max

125 *Study for Colour Composition in Three Dimensions*, *c.* 1922. Rijksdienst Beeldende Kunst, The Hague

DOESBURG, Theo van

19 Design for the cover of the Dutch edition of *Klassiek-Barok-Modern* 1920. Nederlands Architectuurinstituut, Rotterdam/Amsterdam. Photo Frank den Oudsten

21 Spread from *De Stijl* (vol. 4, no. 11) November 1921

22 Cover of *De Stijl* (vol. 4, no. 1) January 1921, with Mondrian

23 Cover of *De Stijl*, Tenth Anniversary issue, 1928

27 Photographs and sketches relating to *Composition (The Cow)* 1917. From Theo van Doesburg *Principles of Neo-Plastic Art* 1925. Photo courtesy Stedelijk Museum, Amsterdam

28 *The Cow* 1917. Oil on canvas, $14\frac{3}{4} \times 25$ (37.5×63.5). Collection, The Museum of Modern Art, New York. Purchase

29 *Composition X* 1918. Oil on canvas, $25\frac{1}{4} \times 16\frac{7}{8}$ (64×43). Private collection, Basel

39 *Composition XVIII* 1920. Oil on canvas, 3 canvases, each $13\frac{3}{4} \times 13\frac{3}{4}$ (35×35). Rijksdienst Beeldende Kunst, The Hague. Photo Frank den Oudsten

40 *Counter-Composition VIII* 1924–5. Oil on canvas, $39\frac{3}{8} \times 39\frac{3}{8}$ (100×100). Photograph © 1990, The Art Institute of Chicago. All Rights Reserved, Gift of Peggy Guggenheim, 1949.216

41 The dancer Kamares posing in front of Theo van Doesburg's *Counter-Composition XVI* in his studio at Clamart, near Paris, 1925. Rijksdienst Beeldende Kunst, The Hague. Photo courtesy Frank den Oudsten

44 *Garden Sculpture* 1919. Ceramic. Lost or destroyed. From *L'Architecture Vivante* autumn 1925. Photo courtesy Frank den Oudsten

62 Stained-glass window, 1917. $19\frac{1}{8} \times 17\frac{3}{4}$ (48.7×45.2). Rijksdienst Beeldende Kunst, The Hague

63 Stained-glass window, 1918–19. $13\frac{3}{4} \times 35\frac{3}{8}$ (35×90). Photo Gerald Dukker

64 J. J. P. Oud and Theo van Doesburg (colour design), De Vonk, Noordwijkerhout, 1917. Photo Frank den Oudsten

65 J. J. P. Oud and Theo van Doesburg (colour design), De Vonk, Noordwijkerhout, 1917, hall. Photo courtesy Frank den Oudsten

66 Interior for Bart de Ligt, Katwijk, 1919. Monochrome reproduction in *De Stijl* 1920, retouched with primary colours in 1925. Rijksdienst Beeldende Kunst, The Hague. Photo courtesy Frank den Oudsten

67 Interior for Bart de Ligt, Katwijk, 1919. Pencil and watercolour on paper, $23\frac{7}{8} \times 16\frac{7}{8}$ (60.5×43). Rijksdienst Beeldende Kunst, The Hague. Photo courtesy Frank den Oudsten

68 Stained-glass window, 1922–3. $12\frac{5}{8} \times 12\frac{5}{8}$ (32×32). Location unknown

69 Cornelis de Boer and Theo van Doesburg (colour design), terrace housing, Drachten, 1921. Photo courtesy Museum it Bleekerhûs, Drachten

104 Maison particulière, 1923. Pencil and watercolour on tracing paper, $22\frac{1}{2} \times 22\frac{1}{2}$ (57×57). Rijksdienst Beeldende Kunst, The Hague. Photo Frank den Oudsten

105 *Café Aubette, Strasbourg. Colour scheme for floor and long walls of ballroom* 1927. Ink and gouache on paper, $21 \times 14\frac{3}{4}$ (53.3×37.5). Collection, The Museum of Modern Art, New York. Gift of Lily Auchincloss, Celeste Bartos, and Marshall Cogan

$15\frac{3}{4} \times 25\frac{1}{4} \times 15\frac{3}{4}$ (40 × 64 × 40). Museum Sztuki, Lodz

KROP, Hildo

8 Bridge sculpture, Amsterdam, 1926 (detail). Granite, $31\frac{1}{2} \times 35$ (80 × 89). Photo courtesy Stedelijk Museum, Amsterdam

LECK, Bart van der

2 *Composition 1918*. Oil on canvas, $21\frac{3}{8} \times 16\frac{3}{4}$ (54.3 × 42.5). Tate Gallery, London

16 *Leaving the Factory* 1910. Oil on canvas, $47\frac{1}{4} \times 55\frac{1}{8}$ (120 × 140). Boymans-van Beuningen Museum, Rotterdam

24 *Composition 3* 1917. Oil on canvas, $37\frac{1}{2} \times 40\frac{1}{4}$ (95 × 102). Rijksmuseum Kröller-Müller, Otterlo. Photo Frank den Oudsten

30 *Dock Work* 1916. Oil on canvas, $35 \times 94\frac{1}{2}$ (89 × 240). Rijksmuseum Kröller-Müller, Otterlo

31 Poster for Batavier shipping line, 1915. Lithograph on paper, $30\frac{3}{4} \times 45\frac{1}{4}$ (78.1 × 114.9). Stedelijk Museum, Amsterdam

32 *Composition 1917 No. 5*. Oil on canvas, $23\frac{1}{4} \times 57\frac{7}{8}$ (59.1 × 147). Private collection. From *De Stijl* (vol. 1, no. 1) October 1917

70 Lettering for Metz, 1930s

71 Interior with wall hangings and carpet, *c.* 1930 (furniture by Rietveld). From *Mobilier et Décoration* July 1930. Bibliothèque Nationale, Paris

72 Trade stand for the Bruynzeel company, Utrecht Jaarbeurs, 1919, with P. J. C. Klaarhamer. Photo courtesy Stedelijk Museum, Amsterdam

MALLET-STEVENS, Robert

140 Set for exterior of engineer's laboratory, still from Maurice L'Herbier's film *L'Inhumaine* 1923

141 House, rue Mallet-Stevens, Paris, 1927. Photo Tim Benton

MONDRIAN, Piet

1 *Composition in Colour B* 1917. Oil on canvas, $19\frac{3}{4} \times 17\frac{3}{8}$ (50 × 44). Rijksmuseum Kröller-Müller, Otterlo

22 Cover of *De Stijl* (vol. 4, no. 1) January 1921, with Van Doesburg

25 *Composition in Line* initial state, 1916–17. Photo courtesy Bremmer Archive, Gemeentearchief, The Hague

26 *Composition in Line* 1917. Oil on canvas, $42\frac{1}{2} \times 42\frac{1}{2}$ (108 × 108). Rijksmuseum Kröller-Müller, Otterlo

34 *Composition in Red, Yellow and Blue* 1922. Oil on canvas, $16\frac{1}{2} \times 19\frac{5}{8}$ (42 × 50). Stedelijk Museum, Amsterdam

37 *Chequerboard with Light Colours* 1919. Oil on canvas, $33\frac{7}{8} \times 41\frac{3}{4}$ (86 × 106). Collection Haags Gemeentemuseum, The Hague

42 *Composition with Two Lines* 1931. Oil on canvas, $31\frac{1}{2} \times 31\frac{1}{2}$ (80 × 80). Stedelijk Museum, Amsterdam

83 Ida Bienert interior, 1926. Drawing. Photo Frank den Oudsten

OUD, J. J. P.

3 Factory at Purmerend, *c.* 1919. Drawing. From *De Stijl* (vol. 3, no. 5) March 1920

55 Furniture in Villa Allegonda, *c.* 1928

64 De Vonk, Noordwijkerhout, 1917 (colour design by Van Doesburg). Photo Frank den Oudsten

65 De Vonk, Noordwijkerhout, 1917, hall (colour design by Van Doesburg). Photo courtesy Frank den Oudsten

91 Seaside housing, Scheveningen, 1917. Perspective, plan and sections, photo-type on cardboard, $22\frac{1}{4} \times 15\frac{1}{2}$ (56.5 × 39.5). Archive J. J. P. Oud, inv. nr. 25, Nederlands Architectuurinstituut, Rotterdam/Amsterdam. Photo courtesy Nederlands Architectuurinstituut, Rotterdam/Amsterdam

92 Remodelled Villa Allegonda, Katwijk-am-zee, 1916, with Menso Kamerlingh Onnes. Rijksdienst Beeldende Kunst, The Hague. Photo courtesy Frank den Oudsten

97 Spangen Block I, Rotterdam, 1919. Rijksdienst Beeldende Kunst, The Hague. Photo courtesy Frank den Oudsten

99 Site-manager's temporary shed, Oud Mathenesse estate, Rotterdam, 1923. Perspectives and plan, watercolour on paper, $25\frac{5}{8} \times 39$ (65 × 99). Archive J. J. P. Oud, inv. nr. 34, Nederlands Architectuurinstituut, Rotterdam/Amsterdam. Photo courtesy Nederlands Architectuurinstituut, Rotterdam/Amsterdam

100 Café de Unie, Calendplein, Rotterdam, 1925. Drawing and plans. From *L'Architecture Vivante* autumn 1925. Photo Frank den Oudsten

101 Housing blocks, Tussendijken, Rotterdam, 1921 (destroyed 1940)

102 Design for the Kallenbach house, Berlin, 1922. Perspective. From *L'Architecture Vivante* summer 1924. The British Architectural Library, RIBA

106 Oud Mathenesse estate, Rotterdam, 1924. Photo Paul Overy

107 Housing at Hook of Holland, 1924. Photo Paul Overy

108 Kiefhoek estate, Rotterdam, 1925–30. Nederlands Architectuurinstituut, Rotterdam/Amsterdam. Photo courtesy Frank den Oudsten

109 Kiefhoek estate church, Rotterdam, 1925–30. Photo Paul Overy

110 Kiefhoek estate, Rotterdam, 1925–30. Photo Paul Overy

111 Terrace housing, Weissenhofsiedlung exhibition, Stuttgart, 1927. Rijksdienst Beeldende Kunst, The Hague. Photo courtesy Frank den Oudsten

112 Terrace housing, Weissenhofsiedlung exhibition, Stuttgart, 1927, living-room. From *L'Architecture Vivante* spring 1928. The British Architectural Library, RIBA

113 Housing at Blijdorp, Rotterdam, 1931 (unexecuted). Perspective, watercolour on paper on cardboard, $30\frac{1}{4} \times 21\frac{5}{8}$ (77 × 55). Archive J. J. P. Oud, inv. nr. 50, Nederlands Architectuurinstituut, Rotterdam/Amsterdam. Photo courtesy Frank den Oudsten
155 Café de Unie, Rotterdam, reconstructed by Design Group Opera, 1985. Photo Paul Overy
PANAGGI, Ivan
117 Interior from Casa Zampini, Macerata, 1925–6. Photo courtesy Musei e Pinacoteca Comunale, Macerata
RIETVELD, Gerrit
4 Buffet, *c.* 1919, and High Back Chair, *c.* 1919. From *De Stijl* (vol. 3, no. 5) March 1920
5 Prototype Red Blue Chair, *c.* 1918–19. Unpainted wood, *c.* $34\frac{1}{4} \times 23\frac{5}{8} \times 23\frac{5}{8}$ (87 × 60 × 60). Photo courtesy Christie's, Amsterdam
47 Label from Red Blue Chair, 1930s. Photo courtesy Stedelijk Museum, Amsterdam
48 Child's High Chair, 1918. From *De Stijl* (vol. 2, no. 9) July 1919
49 Toy Wheelbarrow, 1923. Painted wood, *c.* $11\frac{3}{4} \times 31\frac{7}{8} \times 15$ (30 × 81 × 38). Stedelijk Museum, Amsterdam
50 Furniture in model living-room, *c.* 1923. Photo courtesy Centraal Museum, Utrecht
51 Price list for furniture in model living-room, *c.* 1923. Coloured crayon and pencil on paper, $25\frac{5}{8} \times 9\frac{7}{8}$ (65 × 25.2). Photo courtesy Centraal Museum, Utrecht
56 GZC jewellers, Kalverstraat, Amsterdam. From *L'Architecture Vivante* autumn 1925. Photo courtesy Frank den Oudsten
57 2 Military Chairs, 1923. Painted wood, each *c.* $15\frac{3}{8} \times 20\frac{1}{2} \times 35\frac{7}{8}$ (39 × 52 × 91). Photo courtesy Christie's, Amsterdam
58 Berlin Chair, 1923. Painted wood, $41\frac{3}{4} \times 27\frac{1}{2} \times 21\frac{5}{8}$ (106 × 69.9 × 54.9). Photo courtesy Christie's, Amsterdam
59 Zig-Zag Chair, *c.* 1932–4. Wood, *c.* $14\frac{3}{4} \times 16\frac{7}{8} \times 28\frac{3}{4}$ (37.5 × 43 × 73). Photo courtesy Christie's, Amsterdam
61 Crate Chair, 1934. Wood, *c.* $23\frac{5}{8} \times 24\frac{3}{8} \times 25\frac{5}{8}$ (60 × 62 × 65). Stedelijk Museum, Amsterdam
71 Furniture in an interior, *c.* 1930 (textiles by Van der Leck). From *Mobilier et Décoration* July 1930. Bibliothèque Nationale, Paris
75 Surgery for Dr Hartog, Maarssen, 1922 (now destroyed). Photo courtesy Stedelijk Museum, Amsterdam
76–8 Furniture in maquette for exhibition room, Berlin, 1923 (colour design by Huszár). From *L'Architecture Vivante* autumn 1924. The British Architectural Library, RIBA
80 Furniture for music room for Til Brugman, *c.* 1924 (colour design by Huszár). Photo courtesy Stedelijk Museum, Amsterdam
81 Music room for Piet Ketting, *c.* 1927. Coloured paper, ink and pencil on paper, $6\frac{5}{8} \times 8\frac{1}{2}$ (16.7 × 21.7). Centraal Museum, Utrecht
82 Music room for Piet Ketting, *c.* 1927. Photo courtesy Centraal Museum, Utrecht
93 Schröder house, Utrecht, 1924–5, photographed *c.* 1925. Photo courtesy Frank den Oudsten
94 Schröder house, Utrecht, 1924–5. First-floor interior, photographed *c.* 1925. Centraal Museum, Utrecht. Photo courtesy Frank den Oudsten
95 Schröder house, Utrecht, 1924–5. Plans of first floor
96 Schröder house, Utrecht, 1924–5, restored 1985–7. Ground-floor study, photographed *c.* 1987. Photo Frank den Oudsten
98 Schröder house, Utrecht, 1924–5, restored 1985–7. First-floor interior, photographed *c.* 1987. Photo Frank den Oudsten
114 Chauffeur's house, Utrecht, 1927. Photo courtesy Nederlands Architectuurinstituut, Rotterdam/Amsterdam
115 Housing, Wiener Werkbundsiedlung, Vienna, 1930. Photo courtesy Centraal Museum, Utrecht
SANT'ELIA, Antonio de
118 Casa a Gradinate. Drawing. From *De Stijl* (vol. 2, no. 10) August 1919. Photo courtesy Stedelijk Museum, Amsterdam
TAEUBER-ARP, Sophie
146 Tea-room, Aubette, Strasbourg, 1926–8. Photo courtesy Fondation Arp, Clamart
VANTONGERLOO, Georges
38 *Composition* 1918. Oil on canvas, $78 \times 62\frac{1}{4}$ (198 × 158). Musée national d'art moderne, Centre Georges Pompidou, Paris
45 *Composition starting from an Oval* 1918. Painted mahogany, $6\frac{1}{2} \times 2\frac{1}{2} \times 2\frac{1}{2}$ (16.5 × 6.5 × 6.5). Copyright Vantongerloo Archive, Zurich
46 *Construction of Volume Relations* 1919. Sandstone, $8\frac{7}{8} \times 5\frac{3}{8} \times 5\frac{3}{8}$ (225 × 137 × 137). Tate Gallery, London
WILS, Jan
53 Dressing table, early 1920s. Archive Jan Wils, inv. nr. 1721, Nederlands Architectuurinstituut, Amsterdam/Rotterdam. Photo courtesy E. M. van Ojen, The Hague
74 Alcove, window seats and freestanding furniture, Berssenbrugge photographic studio, The Hague, 1921 (colour by Huszár). Nederlands Architectuurinstituut, Rotterdam/Amsterdam. Photo courtesy Frank den Oudsten
87 De Dubbele Sleutel, Woerden, 1918 (demolished 1970s). Nederlands Architectuurinstituut, Rotterdam/Amsterdam
88 Daal en Berg estate, The Hague, 1920–21.

Nederlands Architectuurinstituut, Rotterdam/Amsterdam. Photo courtesy Frank den Oudsten
90 Cricket Clubhouse for Olympic Games, Amsterdam, 1928. Photo courtesy Nederlands Architectuurinstituut, Rotterdam/Amsterdam
ZWART, Piet
89 Presentation drawing of Wils's Daal en Berg estate, The Hague, 1919–21. Ink on paper, $8\frac{1}{2} \times 11\frac{5}{8}$ (21.6 × 29.5). Nederlands Architectuurinstituut, Rotterdam/Amsterdam. Photo courtesy Frank den Oudsten

Miscellaneous illustrations
10 Tomb of Midas, illustrated in Gottfried Semper *Der Stil in den technischen und tektonischen Kunsten* 1860–63
13 Gerrit Rietveld and assistants outside his furniture workshop in Adriaen Ostadelaan, Utrecht, *c.* 1918. Photo courtesy Centraal Museum, Utrecht
14 Portable electric machines. From *Het Bouwbedrijf* 1 October 1926. The British Architectural Library, RIBA
15 Canal houses, Amsterdam, 17th century
18 Cover of *Wendingen* July 1918
20 'First de Stijl Manifesto' (English version). From *De Stijl* (vol. 2, no. 1) November 1918
52 Drawing of components of Rietveld's Red Blue Chair
60 Metz catalogue, *c.* 1935. Centraal Museum, Utrecht
79 Music room for Til Brugman, before 1924. Photo courtesy Stedelijk Museum, Amsterdam
84 Construction of Bienert interior (83), Pace Gallery, New York, 1970. Formica on wood, 120 × 144 × 168 (304.8 × 365.8 × 426.7). Photo courtesy The Pace Gallery, New York
119 Nelly van Doesburg dressed as I. K. Bonset. From *De Stijl*, Tenth Anniversary issue, 1928
120 Hans Richter's *Filmmoment*, illustrated in *De Stijl* (vol. 6, no. 5) 1923
121 Poster for Kurt Schwitters and Theo van Doesburg's Dada tour in Holland, 1923. $24\frac{3}{8} \times 33\frac{1}{2}$ (62 × 85). Dienst Verspreide Rijkscollecties, The Hague
123 Models constructed from Meccano. From *De Stijl* (vol. 5, no. 5) May 1922
129 Kasimir Malevich's *Black Square* illustrated in *De Stijl* (vol. 5, no. 9) September 1922
130 Cover of *Merz* (no. 1) January 1923. Courtesy of the Board of Trustees of the Victoria and Albert Museum, London
131 El Lissitzky's *Proun* article (first page) and illustration in *De Stijl* (vol. 5, no. 6) June 1922
136 The International Collection of Modern Art, Museum Sztuki, Lodz, 1932. Photo courtesy Museum Sztuki, Lodz
138 Cornelis van Eesteren and Theo van Doesburg with model of Maison particulière, 1923. Rijksdienst Beeldende Kunst, The Hague. Photo courtesy Frank den Oudsten
139 Rosenberg exhibition 'Les Architectes du groupe de Stijl', Paris, autumn 1923. Rijksdienst Beeldende Kunst, The Hague. Photo courtesy Frank den Oudsten
147 Page from *Cercle et Carré* (no. 3, Paris) 1930. Fondation Arp, Clamart
152 Alfred H. Barr Jr, *de stijl 1917–1928* 1951, p. 12. Library, The Museum of Modern Art, New York. Offset, printed in black, 10 × 8 (25.4 × 20.3). © 1961 The Museum of Modern Art, New York
156 Various objects with De Stijl motifs. Photo Eileen Tweedy

索引

此处页码为原文页码，斜体代表图号。

——译者注

NB
DE STIJL
VIERDE JAARGANG 1921
INTERNATIONAAL MAANDBLAD
VOOR NIEUWE KUNST WETEN-
SCHAP EN KULTUUR REDACTIE
THEO VAN DOESBURG
LEIDEN ANTWERPEN PARIJS ROME
IV 1 1921
1

《风格派》（vol.4, no.I）封面，1921年1月刊。（见图22）

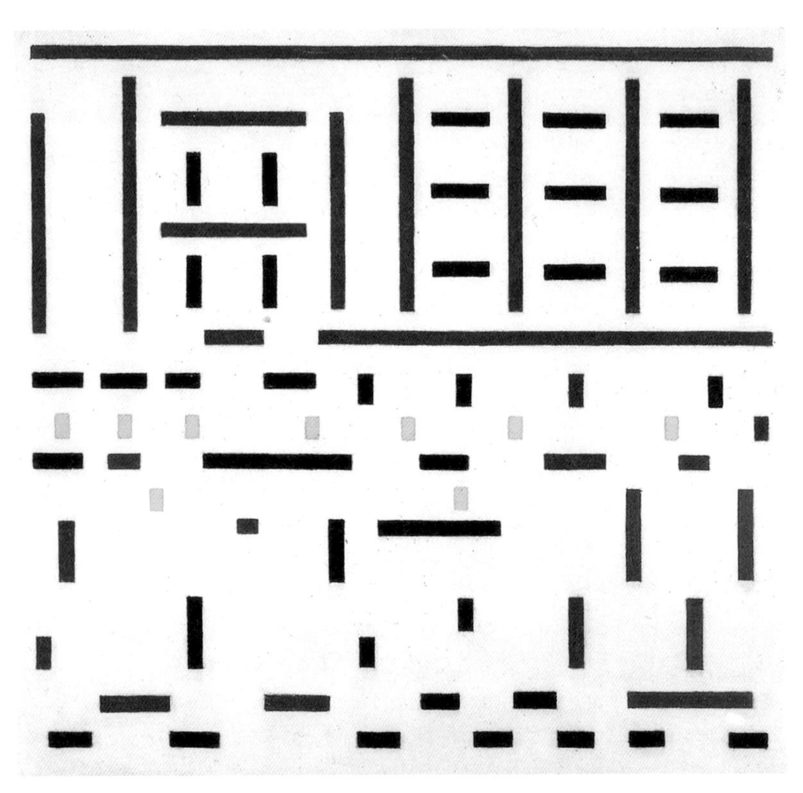

巴特·凡·德·列克，《构图 3》，1917年。（见图24）

提奥·凡·杜斯伯格《构图（牛）》，1917年。（见图28）

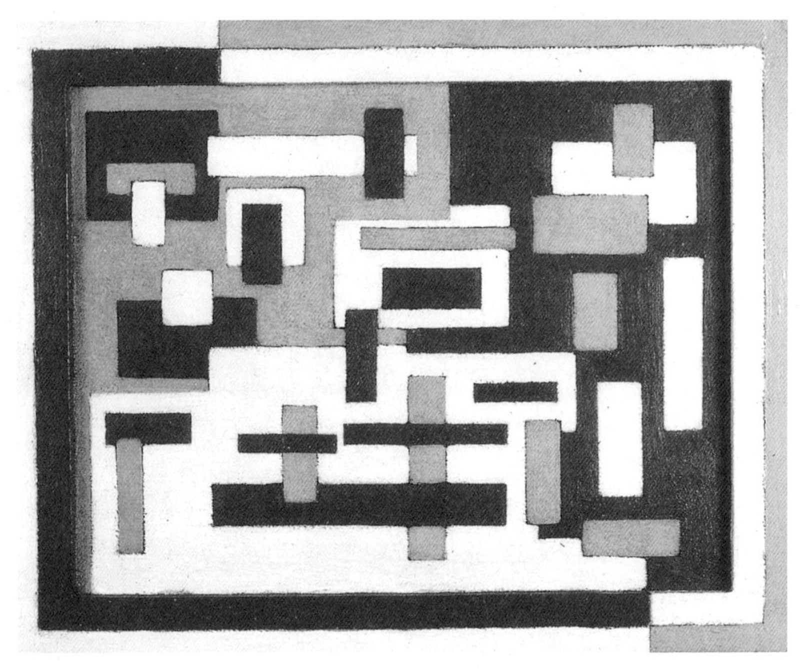

魏默思·胡札《静物构图（锤子和锯子）》，1917年。（见图33）

彼埃·蒙德里安，《红、黄、蓝构图》，1922年。（见图34）

提奥・凡・杜斯伯格，为巴・德・里特所做的室内设计，上色草图，1925年（见图67）

科内利斯·德·博尔设计的联排住房，德拉赫滕，弗里斯兰，1921年。（见图69）

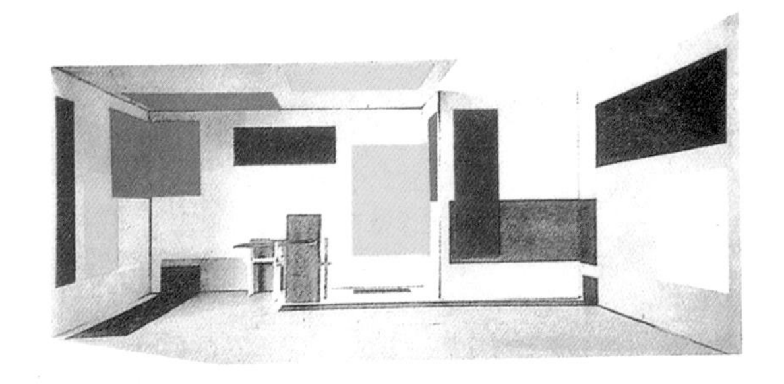

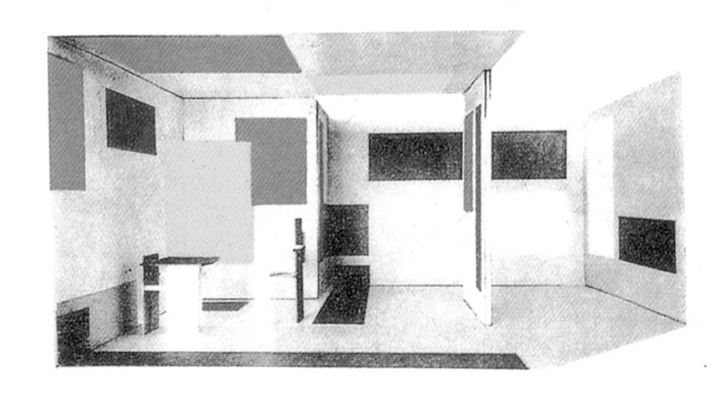

魏默思·胡札（配色方案）及格利特·里特维尔德 （家具），为展览空间设计的模型，柏林，1923年。（见图76—78）

施罗德住宅，1924—1925年。宅邸在1985年至1987年修复。图片中可见，可移动的墙面半开着，墙边的便是“红蓝”椅子（图中间偏左）。（见图98）

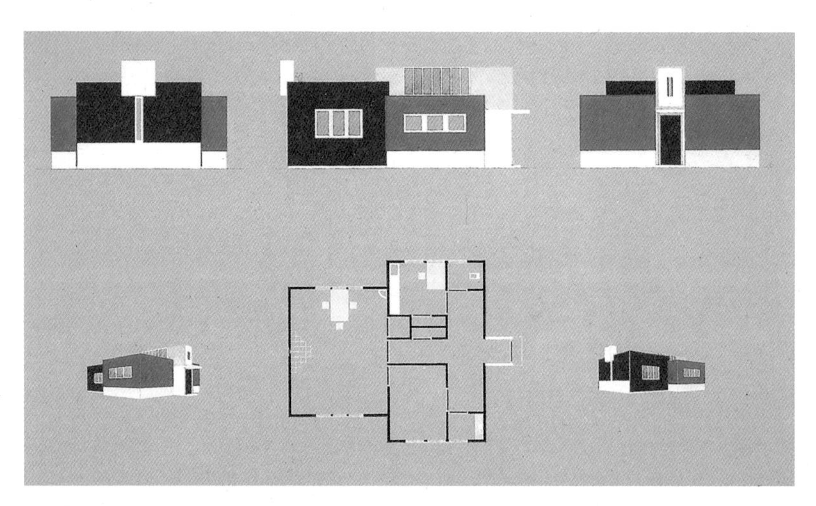

J. J. P. 欧德，社区管理员的临时小屋，欧德马特尼萨住宅区，鹿特丹，1923年。立视图、透视图及平面图。（见图99）

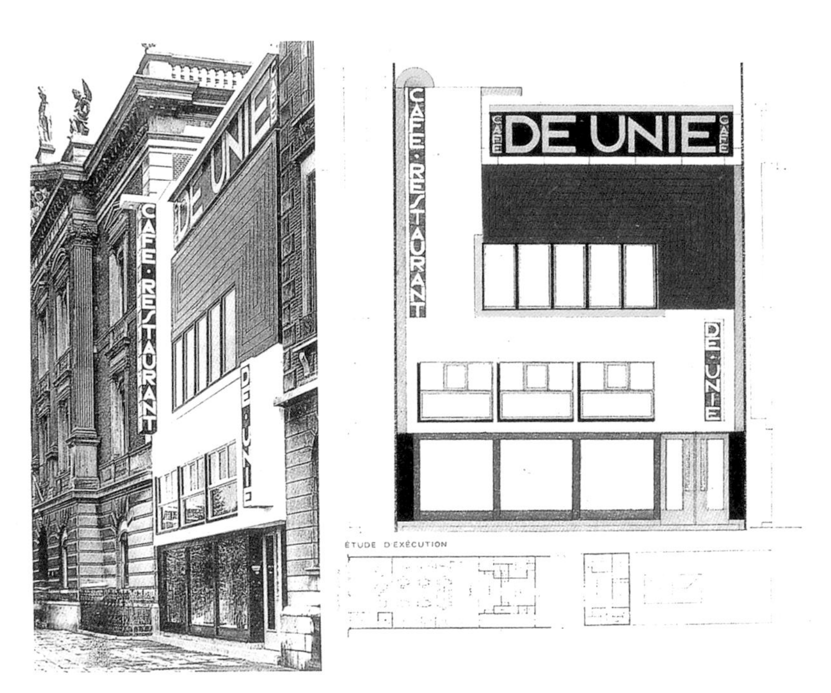

J. J. P. 欧德，乌涅咖啡馆，卡兰德布雷，鹿特丹，收录于《建筑生活》杂志1925年秋季刊。建筑外部：草图及平面图。（见图100）

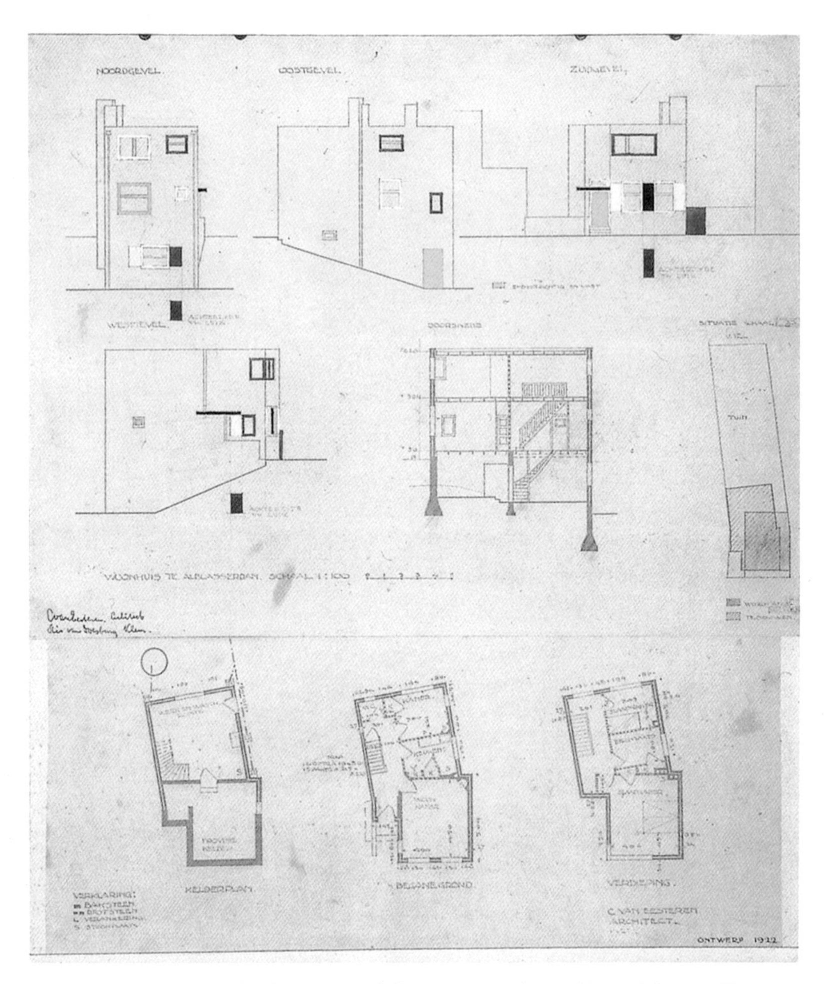

康内利斯·凡·伊斯特伦，住宅，阿尔布拉瑟丹，1924年。立视图，剖面图及平面图。（见图103）

提奥·凡·杜斯伯格，为“私人住所”创作的草图，1923年。这些彩色草图与凡·伊斯特伦的最初设计方案的关系不大。（见图104）

提奥·凡·杜斯伯格，黎明宫咖啡馆，斯特拉斯堡，大舞厅地面及墙面配色方案。（见图105）。